L'ÉVANGILE SELON

SAINT MARC

Ce fascicule a été revu, pour le Comité de Direction, par le Chanoine E. OSTY, P. S. S., Professeur à l'Institut catholique de Paris, et par le R. P. P.-M. BENOIT, O. P., Professeur à l'École Biblique de Jérusalem.

La seconde et la troisième édition ont été préparées par le R. P. P.-M. BENOIT, O. P.

LA SAINTE BIBLE

traduite en français

sous la direction de l'École Biblique de Jérusalem

L'ÉVANGILE SELON

SAINT MARC

traduit par

J. HUBY, S. J. (†)

3e édition revue, par les soins de

P.-M. BENOIT, O. P.

LES ÉDITIONS DU CERF

29, boulevard Latour-Maubourg, Paris

1961

NIHIL OBSTAT :

Lutetiae Parisiorum,
die 10ª aprilis 1948.

R. D'OUINCE, S. J.

IMPRIMATUR :

Lutetiae Parisiorum,
die 12ª maii 1948.

Petrus BROT, vic. gen.

Seconde édition :

IMPRIMATUR :

Lutetiae Parisiorum,
die 23ª decembris 1952.

M. POTEVIN, vic. gen.

INTRODUCTION

L'auteur. La tradition chrétienne a attribué le second évangile à un personnage modeste, plutôt effacé, qui n'a pas appartenu au groupe des Douze, mais a été un de leurs disciples de la première heure. Quand ils lui donnent son identité complète, les Actes des Apôtres le désignent sous le nom juif de Jean, appelé aussi Marc, d'un surnom romain (Ac **12** 12, 25; **15** 37); ils l'appellent encore Jean (Ac **13** 5, 13) ou Marc (Ac **15** 39) tout court : cette dernière appellation a prévalu comme étant la seule qu'emploient saint Paul (Col **4** 10; Phm 24; 2 Tm **4** 11) et saint Pierre (1 P **5** 13) dans leurs épîtres.

Marc était le fils d'une chrétienne nommée Marie, qui possédait à Jérusalem une maison où la communauté primitive se réunissait. Cette Marie paraît avoir été spécialement attachée à l'apôtre Pierre, à qui vraisemblablement elle devait sa conversion; c'est dans cette maison que les chrétiens de Jérusalem étaient assemblés pour prier quand Pierre était tenu en prison par le roi juif Hérode Agrippa Ier (vers l'an 44), et c'est à cette même adresse que l'apôtre se rendit après avoir été miraculeusement délivré de ses chaînes (Ac **12** 12). La sollicitude de Pierre se reporta de la mère sur le fils qu'il avait peut-être personnellement baptisé : dans sa première épître adressée de Babylone (Rome) aux Églises du Pont, de Galatie, de Cappadoce, d'Asie et de Bithynie, il associe Marc à ses salutations en

7

l'appelant son fils : « Marc, mon fils, vous salue » (1 P **5** 13). La famille de Marc avait des relations avec les Juifs de la Diaspora : Marc était cousin de Barnabé, un lévite originaire de Chypre, qui fut un des membres influents de la première communauté chrétienne.

C'est d'abord avec Barnabé et Paul, le persécuteur converti, que nous voyons Marc associé dans l'apostolat, mais à un rang subalterne. Amené par eux de Jérusalem à Antioche, il les accompagne au début de leur premier voyage apostolique; avec eux il fait la traversée de Syrie à Chypre, parcourt cette grande île, mais, après avoir débarqué en Asie Mineure, il se sépare des deux missionnaires à Perge de Pamphylie, pour rentrer à Jérusalem (Ac **13** 13). Les Actes ne nous expliquent pas les motifs de cette séparation; ils nous apprennent seulement que Paul en fut fort mécontent et regarda ce départ comme un lâchage. Quand quelques années plus tard, vers 51-52, Paul proposa à Barnabé de revoir ensemble les Églises qu'ils avaient fondées, Barnabé voulut emmener Marc comme compagnon; Paul s'y refusa et les deux missionnaires partirent chacun de son côté. Barnabé s'embarqua avec Marc pour l'île de Chypre, tandis que Paul prenait avec Silas la route de Cilicie (Ac **15** 36-40).

Plus tard l'Apôtre revint de sa sévérité à l'égard de Marc et même il l'estima comme un auxiliaire précieux. Au temps de sa première captivité romaine, Marc était auprès de lui (Col **4** 10; Phm 24). Dans son épître aux Colossiens, vers 62-63, Paul le nomme comme formant, avec Aristarque et Jésus dit le Juste, le groupe des Juifs d'origine qui travaillent avec lui pour le Royaume de Dieu et qui lui ont été une consolation (Col **4** 11). Il recommande aux Colossiens de le bien recevoir, s'il vient les visiter. Pendant sa seconde captivité, écrivant à Timothée qui se trouvait, semble-t-il, à Éphèse, il lui demande de lui amener Marc, car il lui est « utile pour le ministère » (2 Tm **4** 11). Marc devait avoir des dons de catéchiste.

Barnabé et Paul ne furent pas les seuls à user des services

de Marc. Avec Pierre aussi il collabora à la prédication de
l'Évangile. La première épître de Pierre nous le montre à
Rome en compagnie du chef des apôtres (1 P **5** 13), vraisemblablement au temps qui précéda le martyre de celui-ci sous
Néron (64); les salutations de cette même épître supposent
que Marc était connu des chrétientés d'Asie Mineure où il
avait dû séjourner.

Sources. 1) C'est sur les relations de
Marc avec Pierre, et non avec
Paul ou Barnabé, que la tradi-
tion ancienne a particulièrement insisté, en parlant de la composition du second évangile. Elle nous représente l'œuvre de
Marc comme le résumé fidèle de la prédication de Pierre, à
qui Marc servit d'interprète pour faire passer en grec sa
catéchèse araméenne.

Le premier témoignage en date et en importance est celui
de Papias, évêque d'Hiérapolis en Phrygie (vers 125-130).
Dans un fragment qu'Eusèbe nous a conservé (*Hist. eccl.*,
III, 39), il rapporte les dires du presbytre Jean, homme de la
génération apostolique :

« C'est bien ce que le presbytre avait coutume de dire :
Marc, qui avait été interprète de Pierre, écrivit exactement
tout ce dont il se souvint, mais non dans l'ordre, de ce que le
Seigneur avait dit ou fait. Car il n'avait pas entendu le Seigneur
et n'avait pas été son disciple, mais bien plus tard, comme je
disais, celui de Pierre. Celui-ci donnait son enseignement
selon les besoins, sans se proposer de mettre en ordre
les discours du Seigneur. De sorte que Marc ne fut pas en
faute, ayant écrit certaines choses selon qu'il se les rappe-
lait. Il ne se souciait que d'une chose : ne rien omettre de
ce qu'il avait entendu et ne rien rapporter que de véritable »
(trad. Lagrange).

Ce texte est on ne peut plus net sur l'origine du second
évangile : Marc, après avoir été interprète de Pierre, a repro-
duit fidèlement par écrit la catéchèse du chef des apôtres. A
cette affirmation fondamentale, Papias a ajouté ce qui paraît

être un commentaire personnel[1] sur le manque d'ordre qu'on pouvait reprocher à l'évangile de Marc, en le comparant soit au quatrième évangile, soit aux collections de discours dans l'évangile de Matthieu.

Les écrivains ecclésiastiques des âges suivants ne font que confirmer le témoignage de Papias : saint Justin à Rome vers 150 (*Dial. avec Tryphon*, CVI), saint Irénée à Lyon dans le dernier tiers du IIe siècle (*Contra haer.*, III, 1, 1 ; x, 6), Tertullien (*Adv. Marcionem*, IV, 5) en Afrique et Clément d'Alexandrie[2] en Égypte au commencement du IIIe siècle, Origène[3] un peu plus tard. Tous rappellent l'étroite relation qui existait entre l'évangile de Marc et la prédication de Pierre, au point que saint Justin attribue aux « Mémoires de Pierre » un trait qui ne se trouve que dans le second évangile.

2) Cette source orale que constituait pour Marc la prédication de Pierre n'exclut pourtant pas l'utilisation par lui de sources écrites. Ce problème est posé en fait par les étroites relations littéraires du second évangile avec les deux autres synoptiques, relations qui ne peuvent s'expliquer par une simple communauté de tradition orale. Son évangile présente avec celui de saint Luc des ressemblances frappantes que l'on explique à juste titre par une dépendance de ce dernier[4]. Mais les choses ne sont pas si simples en ce qui concerne les analogies littéraires de Marc avec Matthieu. Longtemps on a considéré le second évangile comme un abrégé du premier; depuis un siècle et demi les critiques se sont prononcés de plus en plus nettement pour la solution inverse : Marc serait l'original dont Matthieu dépendrait comme d'une de ses sources. Ces deux explications opposées sont également excessives, bien qu'elles contiennent chacune du vrai. Aujourd'hui la tendance

---

1. Le commentaire de Papias semble commencer à la phrase : « Car il n'avait pas entendu le Seigneur... »
2. Dans Eusèbe, *Hist. eccl.*, II, xv, 1-2; VI, xiv, 6-7 et un texte conservé en latin dans *Adumbratio in ep. Petri catholica*, 5, 13 (éd. Stählin, III, 206).
3. Dans Eusèbe, *Hist. eccl.*, VI, xxv, 5.
4. Cf. l'Introduction à l'Évangile selon saint Luc.

se fait jour, notamment parmi les catholiques, d'envisager une solution moyenne et plus complexe. D'une part, Marc dépendrait d'une forme archaïque du premier évangile, qu'il aurait connue soit en araméen soit déjà en traduction grecque, et où il aurait trouvé, rédigée par l'apôtre saint Matthieu, cette même catéchèse primitive que Pierre utilisait dans sa prédication; il s'en serait inspiré, non sans liberté, omettant ou résumant les « discours » et mettant tout son soin dans la narration des récits, auxquels la prédication de Pierre lui permettait de donner un tour particulièrement vivant. D'autre part, son évangile ainsi réalisé aurait servi au rédacteur grec de Matthieu, lorsque celui-ci entreprit à son tour de donner du premier évangile une édition nouvelle et plus complète. Ainsi s'expliqueraient les nombreux parallèles de langue ou de distribution des matières entre Matthieu et Marc, parallèles où Matthieu semble tantôt refléter un état plus primitif et tantôt dépendre de la rédaction de Marc[1].

Date et lieu de composition. Aux renseignements qu'ils donnent sur l'origine pétrinienne de Marc, saint Irénée (*Contra haer.*, III, 1, 1) et Clément d'Alexandrie (*loc. cit.*) ajoutent l'indication de sa date de composition, sans être cependant d'accord entre eux. Selon saint Irénée, ce fut après « l'exode » — c'est-à-dire après la mort — de Pierre et de Paul, que Marc transmit par écrit ce qui avait été prêché par Pierre. D'après Clément d'Alexandrie, ce fut du vivant de Pierre que Marc, cédant aux instances des chrétiens de Rome, consigna dans son évangile l'enseignement que Pierre leur avait donné de vive voix[2]. A choisir entre ces deux traditions, celle que rapporte saint Irénée paraît la mieux fondée. C'est aussi celle que suppose Papias : l'interprétation

---

1. Cf. l'Introduction à l'Évangile selon saint Matthieu.
2. Les textes rapportés par Eusèbe présentent cette particularité que dans le premier (*Hist. eccl.*, II, xv, 2) Pierre est représenté comme approuvant la rédaction de Marc, et dans le second (*Hist. eccl.*, VI, xiv, 7) comme restant neutre.

naturelle de son texte est que le second évangile a été composé par Marc d'après ses souvenirs quand Pierre ne pouvait plus se faire entendre.

Si l'on suit saint Irénée, on placera la mise par écrit du second évangile après le martyre de saint Pierre en l'an 64 et avant la ruine de Jérusalem en l'an 70.

Quant au lieu où Marc composa son évangile, le seul examen du livre ne permet pas de le découvrir, mais la tradition alexandrine et bon nombre de manuscrits indiquent Rome. Or plusieurs observations de critique interne viennent confirmer cette donnée traditionnelle. A la différence de Matthieu qui écrit pour les chrétientés syro-palestiniennes, Marc s'adresse à des lecteurs qui vivent hors de la Judée et ne sont pas tous d'origine juive : il leur explique non seulement les termes araméens qu'il a conservés dans son texte (**5** 41; **7** 34; **14** 36; **15** 34), mais aussi les coutumes et usages juifs (**7** 3-4). Marc est le seul des évangélistes à mentionner les deux fils de Simon le Cyrénéen, Alexandre et Rufus (**15** 21), qu'il suppose connus de ses lecteurs : Rufus, un nom plutôt rare, pourrait bien être le même personnage que saint Paul salue parmi les chrétiens de Rome (Rm **16** 13), mais qu'il avait connu ailleurs avec sa mère, en Judée vraisemblablement. Un autre argument en faveur de l'origine romaine du second évangile, ce sont les latinismes du vocabulaire de Marc (*legio, speculator, denarius, sextarius, census, quadrans, praetorium*), spécialement les cas où un mot grec est expliqué par un équivalent latin (**12** 42; **15** 16). A elles seules ces particularités ne suffiraient pas à établir que le second évangile a été écrit à Rome, mais rapprochées du témoignage de la tradition, elles lui apportent un solide appui.

Plan et valeur historique.

L'œuvre de Marc, pas plus qu'aucun autre évangile, ne se présente comme une « Vie de Jésus ». C'est un choix d'actions et de paroles du Christ qui dessinent à grands traits sa mission sur terre, une sorte de vade-mecum de catéchiste. On y trouve un portrait du Christ bien plus qu'une biographie et l'on aurait tort d'y chercher une chronologie détaillée de la carrière de Jésus.

Après le prélude que constituent la prédication de Jean-Baptiste, le baptême de Jésus et la tentation au désert (**1** 1-13), quelques rares jalons nous aident à discerner une période de ministère galiléen (**1** 14-**7** 23), puis les voyages de Jésus avec ses apôtres au pays de Tyr et de Sidon, en Décapole, dans la région de Césarée de Philippe, avec retour en Galilée (**7** 24-**9** 50), enfin une dernière montée à travers la Pérée et Jéricho vers Jérusalem pour la Passion et la Résurrection (**10** 1-**16** 8).

A l'intérieur de ces grandes divisions on peut distinguer des groupements de péricopes, miracles et discours, et au sein même de ces groupements, des enchaînements d'aspect varié. Il est des cas où la liaison entre différents épisodes semble plus didactique que chronologique, l'analogie des sujets ayant amené leur rapprochement : ainsi le groupement des discussions de Jésus avec les Pharisiens (**2** 1-**3** 6) ou celui des paraboles (**4** 1-34). Ailleurs on a affaire à des épisodes bien circonstanciés dont l'enchaînement paraît refléter un ordre chronologique réel : ainsi le premier sabbat à Capharnaüm (**1** 21-38); après le chapitre des paraboles, le groupement que forment la traversée du lac et la tempête apaisée, la guérison du possédé de Gérasa, le retour à Capharnaüm, la guérison de l'hémorroïsse et la résurrection de la fille de Jaïre (**4** 35-**5** 43); après le retour des apôtres envoyés en mission, le départ pour un lieu désert, la première multiplication des pains, la marche de Jésus sur la mer et le retour au pays de Gennésareth (**6** 30-56) les voyages de Jésus en Syrie et en Décapole (**7** 24-37); la confession de Pierre, la transfiguration de Jésus et la guérison d'un enfant épileptique (**8** 27-**9** 29); la traversée de Jéricho et l'entrée à Jérusalem (**10** 46-**11** 11); le récit de la Passion et de la Résurrection depuis la dernière Cène jusqu'à la découverte du tombeau vide (**14** 12-**16** 8).

S'il est difficile ou même impossible de situer exactement certains épisodes particuliers, l'esquisse générale que l'évangile donne du ministère du Christ reste fermement dessinée : prédication en Galilée; après le premier enthousiasme des foules, opposition des Pharisiens et des Hérodiens; départ vers les régions du Nord; un enseignement visant de plus en plus la formation des disciples; la révélation croissante de la mission messianique et de la Passion qui approche.

Étudiant les procédés de composition qu'ont employés les évangélistes, l'école critique allemande dite de la *Formgeschichtliche Methode* (Méthode de l'histoire des formes) a cru y discerner certaines structures plus ou moins stéréotypées. Distinguant paroles (*logia*) et récits (histoires), elle a réparti ceux-ci en trois genres différents : les récits très courts qui ont pour but d'amener une sentence de Jésus, par exemple la scène des épis froissés le jour du sabbat (2 23-28) avec la maxime finale : « Le sabbat a été fait pour l'homme, et non l'homme pour le sabbat; en sorte que le Fils de l'homme est maître même du sabbat »; les récits plus circonstanciés avec les détails pittoresques et précis, tels les récits de miracles, tempête apaisée, guérison du possédé de Gérasa, résurrection de la fille de Jaïre, multiplication des pains, marche de Jésus sur la mer, guérisons de la fille de la Cananéenne, de l'enfant épileptique, du sourd-muet de la Décapole, de l'aveugle de Bethsaïde et de celui de Jéricho; enfin les récits qui racontent des événements de la vie du Christ ou de ses disciples : Baptême, Tentation, Vocation des apôtres, Martyre de Jean-Baptiste, Transfiguration, Passion et Résurrection.

Pour qui se cantonne dans le domaine purement littéraire de la classification des récits, sans la transformer en argument contre la valeur historique des évangiles, — comme le font trop souvent les promoteurs de la Méthode de l'histoire des formes, — rien ne s'oppose à ce que les évangiles aient coulé leur matière dans des cadres assez fixes, dont on retrouve les analogues dans la littérature rabbinique ou hellénistique. Cela ne préjuge en rien de l'historicité de la tradition évangélique, que le récit d'un vrai miracle ressemble à celui d'un faux prodige : ce n'est pas le mode de narration qui les distingue, mais la crédibilité du témoignage, ferme dans un cas et nulle dans l'autre.

Style et langue. Avant que la critique ait attiré l'attention sur « l'histoire des formes », le P. Lagrange avait relevé dans le second évangile « un schématisme facile à constater soit dans le plan des tableaux, soit dans celui des tournures », de nombreux exemples de « parallélisme stéréotypé ». Marc n'a visiblement à sa disposition ni la richesse du vocabulaire ni la variété des tournures et des cadres. Cependant ses récits sont pleins de fraîcheur et de pittoresque : des détails concrets, des traits nettement dessinés, donnent vie à un personnage, mouvement à une scène. D'où vient que l'auteur, malgré la pénurie de ses moyens littéraires, la rudesse de son style, la monotonie de ses constructions de phrase, nous donne l'impression si vive de la réalité ? La réponse nous est fournie par la tradition : Marc nous a transmis la catéchèse de Pierre, témoin oculaire des faits et gestes du Christ. A travers le grec rude et pauvre de l'évangéliste, c'est Pierre que nous entendons nous raconter ses souvenirs à la manière d'un homme du peuple qui avait des yeux pour voir et bien voir, des oreilles pour entendre et bien entendre, mais restait étranger à toute prétention littéraire.

Il faut noter aussi que ce grec simple et populaire possède souvent une saveur fort araméaïsante. Ce que nous avons dit des sources du second évangile rend aisément compte de ce fait. La langue maternelle de Pierre était l'araméen, et c'est encore en araméen que, d'après la tradition, l'apôtre Matthieu avait rédigé le premier jet de son évangile. Il était inévitable que les transpositions grecques de la prédication de Pierre comme de ce premier évangile gardassent la saveur de leur origine sémitique. Et c'est ce que nous constatons à maintes reprises dans l'évangile de Marc.

Doctrine. Le Christ de l'évangile de Marc est bien le même que Pierre présentait en Judée aux premiers païens convertis, le centurion Corneille et son entourage : c'est ce Jésus de Nazareth, le Messie rempli par Dieu d'Esprit Saint et de force qui, après avoir été baptisé par Jean, parcourut la Galilée et la Judée en faisant le bien, guérissant les malades, chassant les démons, brisant la tyrannie des puissances du mal, et finalement triompha de la mort elle-même par sa Passion et sa Résurrection (Ac **10** 37-41). Une importance primordiale est accordée aux miracles qui mettent en lumière la bonté toute-puissante du Sauveur. Le Christ de Marc n'a rien du guerrier victorieux qu'attendaient le commun des Juifs; sa grandeur dépasse celle des prophètes de l'Ancien Testament; il est le Fils de Dieu, vainqueur des démons, maître de la nature animée et inanimée, venu ici-bas pour sauver les hommes par le sacrifice de la croix.

On peut dire que le second évangile est tout entier centré sur la Personne de Jésus, Messie et Fils de Dieu (**1** 1). Ce n'est pas là une thèse qu'il s'efforce de « prouver », mais une vérité de foi, admise par lui comme par ses lecteurs, dont il s'applique à montrer la manifestation concrète dans les actes et les paroles de Jésus. Moins préoccupé que les deux autres synoptiques de détailler la doctrine du Maître, règle de conduite pour la communauté des fidèles, il veut surtout mettre en relief les faits et les paroles par lesquels Jésus a exprimé sa personne et défini sa mission.

Fils de Dieu, Jésus l'est de par la déclaration solennelle du Père (**1** 11; **9** 7), et de l'aveu même des démons (**1** 24; **3** 11; **5** 7); il n'est pas sans signification que, vers la fin de l'évangile, cette confession apparaisse sur les lèvres d'un païen (**15** 39). Si Jésus lui-même a attendu le moment suprême de sa comparution devant le sanhédrin pour se reconnaître officiellement cette dignité d'un rang divin (**14** 62), il a formulé dès auparavant, tout au long de sa carrière, des prétentions qui équivalent à revendiquer ce titre : il a le pouvoir de pardonner les péchés (**2** 10) et de dispenser même des lois divines comme le sabbat (**2** 28); ses miracles sont une manifestation du pouvoir souverain qu'il exerce sur la nature (**4** 41 et *passim*); ses exorcismes marquent la fin du règne de Satan (**3** 23 s). Il est le « fils bien-aimé », l'héritier que Dieu envoie dans sa Vigne après ses serviteurs (**12** 6). Il passe en dignité au-dessus des anges (**13** 32). En sa personne c'est le Règne de Dieu qui vient (**1** 15) et lui-même l'instaurera de façon définitive quand il viendra dans la gloire de son Père avec les saints anges (**8** 38 s).

Mais auparavant il doit passer par l'abaissement d'une condition humiliée et souffrante, qui ira jusqu'à l'ignominie de la Passion et de la Croix : lui-même l'a annoncé à plusieurs reprises (**8** 31; **9** 31; **10** 33 s). Car telle est la voie voulue de Dieu et annoncée dans les Écritures (**9** 12; **14** 21, 49), par laquelle il achètera le salut des hommes en donnant pour eux sa propre vie (**10** 45; **14** 24). C'est pourquoi il a évité le titre de *Messie,* que les Juifs entouraient si facilement d'un halo de royauté terrestre et de victoire, ou ne l'a accepté qu'avec des corrections qui insinuaient sa vraie nature (**8** 29-31; **12** 35-37). C'est pour la même raison qu'il fait taire les démons (**1** 25, 34; **3** 12), interdit d'ébruiter ses miracles (**1** 44; **5** 43; **7** 36; **8** 26; cf. **9** 9), et souhaite en plusieurs cas passer inaperçu (**7** 24; **9** 30). Au titre de « Messie », trop chargé de gloire humaine, il a préféré celui, plus humble, de *Fils de l'homme* (**2** 10, 28; **8** 31, 38; **9** 9, 12, 31; **10** 33, 45; **13** 26; **14** 21, 41, 62), qui avait l'avantage de suggérer un rôle particulier, mystérieux, voire messianique et d'origine céleste (Dn **7** 13; Paraboles d'Hénoch), tout en soulignant la condition humaine et humiliée de celui qui le revendiquait.

Cet aspect caché et douloureux de la personne de Jésus se reflète naturellement dans son œuvre. Le Règne de Dieu qu'il inaugure doit avoir des débuts modestes et difficiles (ch. **4**, Paraboles). Ses disciples ne peuvent le suivre que par la même voie de l'humilité (**9** 35; **10** 15), du détachement (**10** 24 s, 29 s) et de la croix (**8** 34 s; **10** 39; **13** 9-13). D'ailleurs les faits n'ont que trop confirmé cette exigence du plan divin. Jésus n'a guère rencontré que contradictions et échecs. C'est pour le mettre en relief que Marc note l'insensibilité des foules (**4** 12; **5** 40; **6** 2 s), relève l'hostilité des chefs juifs (**2** 1-3 6; **3** 22; **7** 5; **8** 11; **10** 2; **11** 18, 28; **12** 12, 13, 18; **14** 1) et ne craint pas de souligner l'incompréhension ou la lâcheté de la famille (**3** 21) et des disciples mêmes de Jésus (**6** 52; **7** 18; **8** 17 s, 21, 33; **9** 19, 32, 34; **10** 38; **14** 4 s, 27, 30, 37 s, 66-72).

Ce contraste entre la dignité éminente de Jésus et sa condition méprisée et souffrante est vraiment comme la clef du second évangile. On a pu dire qu'il avait pour thème la manifestation du « Messie crucifié ». Il n'est pas douteux qu'en exposant ce paradoxe, Marc répondait à la question que posait aux esprits le « scandale de la croix ». Mais il serait inexact de ne voir dans son œuvre qu'un dessein apologétique, comme il serait faux de ne reconnaître qu'un artifice dans ce « secret messianique » qui fut bel et bien une réalité. Ce sont bien les faits réels qu'il prétend rapporter en montrant comment les entendre. Son propos est de repenser et de raconter la vie terrestre du Maître telle qu'elle s'était écoulée, mais telle aussi que des yeux dessillés par le triomphe de Pâques pouvaient enfin la comprendre. Illuminé par la foi sur le secret divin annoncé dans les Écritures, il ne dissimule rien des échecs et des abjections de cette vie terrestre, mais il découvre en même temps leur raison d'être, et surtout il montre comment transparaissait sans cesse dans les actes et les paroles de Jésus la dignité suréminente du Fils de Dieu fait homme.

On ne peut nier que ce soit là mettre en œuvre une théologie. Mais on aurait tort d'en conclure à un détriment de la vérité historique. Car c'est bien sur des souvenirs vécus que Marc appuie sa foi et sa théologie. Il n'est permis d'en douter que si l'on rejette *a priori* la possibilité du surnaturel et si l'on escamote l'existence des témoins oculaires : deux préjugés qui ne répugnent pas moins à la saine philosophie qu'à la saine histoire. Il n'est pas davantage légitime de considérer cette théologie comme une étape tardive dans le développement de la foi, due par exemple à la création géniale d'un saint Paul. Car les « paulinismes » de Marc — dont certains critiques ont voulu faire tant de cas — se limitent à quelques formulations littéraires (par exemple le « mystère » de **4** 11). Marc n'a aucune des thèses spécifiques de la théologie paulinienne. S'il rejoint celle-ci sur des thèses fondamentales telles que la divinité de Jésus et l'efficacité rédemptrice de sa mort, c'est qu'il s'agit là du donné le plus primitif de la foi chrétienne, dont Paul lui-même est dépendant. En somme, le message théologique de Marc s'arrête là où commence l'élaboration plus spéciale de l'Apôtre des Gentils. La foi au Christ qu'il met en œuvre, la manière dont il comprend et expose la vie et la mort de Jésus, l'usage qu'il fait des souvenirs concrets des contemporains comme des oracles de l'Écriture, tout cela est le reflet direct du message chrétien tel que l'ont compris et prêché nos premiers frères. Il est, avec certains discours des Actes, l'écho le plus immédiat du « kérygme » primitif, tel que l'Église l'a proclamé dès ses origines. C'est ce qui fait aujourd'hui encore tout son prix. Les siècles passés ont souvent trop négligé le second évangile, auquel ils préféraient le premier, plus complet et plus riche d'enseignements[1]; le nôtre, épris de pureté critique et de prédication kérygmatique, a bien fait de le remettre à l'honneur.

N. B. *En beaucoup de points qui sont communs à Matthieu et à Marc, le lecteur voudra bien se reporter aux notes du fascicule de S. Matthieu.*

---

1. Le premier commentaire patristique de Marc que nous connaissions est celui de Victor d'Antioche (v[e] ou vi[e] siècle). Le suivant est celui de Bède, au viiie siècle. Théophylacte, au xie s., en a composé un assez considérable; mais, encore au xiie s., Euthymius Zigabenus observe que Marc ne demande guère un commentaire séparé, car il est très proche du premier évangile, qui, lui, est plus complet.

ÉVANGILE SELON SAINT MARC

I

LA PRÉPARATION
DU MINISTÈRE DE JÉSUS

**Prédication
de Jean-Baptiste.**

1. ¹ Commencement de la Bonne Nouvelle*a* touchant Jésus Christ, Fils de Dieu. ² Ainsi qu'il est écrit dans le prophète Isaïe*b* :

*Voici que j'envoie mon messager en avant de toi
pour préparer ta route.*

Ml **3** 1

³ *Une voix crie dans le désert :
Préparez le chemin du Seigneur,
aplanissez ses sentiers,*

Is **40** 3

⁴ Jean le Baptiste parut dans le désert, proclamant un baptême de repentir pour la rémission des péchés. ⁵ Et

||Mt **3** 1-12
||Lc **3** 3-17

---

1 1. « *Fils de Dieu* » omis par S Θ quelques minusc. Arm Géo Irénée (grec et latin) Origène.

4. « *Jean le Baptiste parut...* » T. Alex (confirmé par Mc **6** 14, 24); « *Jean parut dans le désert, baptisant et proclamant* » D Θ VetLat Vulg ; « *Jean parut, baptisant dans le désert et proclamant* » la masse.

---

a) Bonne nouvelle, en grec εὐαγγέλιον, dont nous avons fait *Évangile*. L'Évangile, ici comme dans tout le N. T., ne désigne pas un écrit, mais la Bonne Nouvelle du salut apporté par Jésus Christ et dont il est le centre. La prédication de Jean-Baptiste l'inaugure, en marque le « commencement ».

b) Des deux textes cités, seul le second (v. 3) est d'Isaïe (**40** 3). Le premier, Ml **3** 1, a pu être ajouté très anciennement au texte de Marc, sous l'influence de Mt **11** 10 et de Lc **7** 27.

vers lui s'en allaient tout le pays de Judée et tous les habitants de Jérusalem, et ils se faisaient baptiser par lui dans les eaux du Jourdain, en confessant leurs péchés.

⁶ Jean était vêtu d'une peau de chameau; il se nourrissait de sauterelles et de miel sauvage. Et il annonçait dans sa prédication : ⁷ « Voici que vient derrière moi celui qui est plus puissant que moi; je ne suis pas digne de me courber à ses pieds pour délier la courroie de ses chaussures. ⁸ Pour moi, je vous ai baptisés avec de l'eau, mais lui vous baptisera avec l'Esprit Saint*ᵃ*. »

|| Mt **3** 13-17
|| Lc **3** 21-22

Baptême de Jésus.

⁹ En ce temps-là Jésus vint de Nazareth de Galilée et il fut baptisé par Jean

|| Jn **1** 32-34

dans le Jourdain. ¹⁰ Au moment où il remontait de l'eau, il vit les cieux se déchirer et l'Esprit comme une colombe descendre sur lui; ¹¹ et des cieux vint une voix : « Tu es mon Fils bien-aimé, tu as toute ma faveur. »

|| Mt **4** 1-11
|| Lc **4** 1-13

Tentation au désert.

¹² Aussitôt après, l'Esprit le pousse au désert. ¹³ Et il demeura dans le désert quarante jours, tenté par Satan*ᵇ*. Et il était avec les bêtes sauvages et les anges le servaient.

---

6. « *Jean était vêtu d'une peau de chameau* » D VetLat (*a*); « *Jean était vêtu de poils de chameau et se ceignait les reins d'un pagne de peau* » *la masse, par harmonisation avec Mt* **3** 4.

---

a) Parole que les Actes des Apôtres (**1** 5; **11** 16) attribuent également à Jésus et appliquent à la Pentecôte.

b) Le mot signifie « l'adversaire » et plus spécialement l'adversaire-type, le prince des démons. Matthieu et Luc décrivent en détail la triple tentation par laquelle ce maître du monde pécheur a essayé de s'assujettir celui en qui il pressentait un rival.

II

LE MINISTÈRE DE JÉSUS EN GALILÉE

**Jésus inaugure
sa prédication.**

[14] Après que Jean eut été livré, Jésus se rendit en Galilée. Il y proclamait en ces termes la Bonne Nouvelle venue de Dieu : [15] « Les temps sont accomplis et le Royaume de Dieu est tout proche : repentez-vous et croyez à la Bonne Nouvelle. »

|| Mt **4** 12-17
|| Lc **4** 14-15

**Appel des quatre
premiers disciples.**

[16] Comme il longeait la mer de Galilée, il aperçut Simon et André, son frère, qui jetaient l'épervier dans la mer; car c'étaient des pêcheurs. [17] Et Jésus leur dit : « Venez à ma suite et je ferai de vous des pêcheurs d'hommes. » [18] Et aussitôt, laissant là leurs filets, ils le suivirent.

|| Mt **4** 18-22
|| Lc **5** 1-11

[19] Et avançant un peu, il aperçut Jacques, fils de Zébédée, et Jean, son frère, eux aussi dans leur barque en train d'arranger leurs filets; [20] et aussitôt il les appela. Et laissant leur père Zébédée dans la barque avec ses hommes à gages, ils partirent à sa suite.

**Jésus enseigne
à Capharnaüm et guérit
un démoniaque.**

[21] Ils pénètrent à Capharnaüm[a]. Et dès le jour du sabbat, étant entré dans la synagogue, il se mit à enseigner. [22] Et l'on était vivement

|| Lc **4** 31-37

---

a) Sur la rive nord-ouest du lac de Tibériade, probablement à l'emplacement actuel de *Tell Houm*. D'après Mt **4** 13 Jésus avait choisi cette ville comme centre de son action apostolique.

‖ Mt **7** 29   frappé de son enseignement, car il les enseignait en homme qui a autorité, et non pas comme les scribes[a].

²³ Justement il y avait dans leur synagogue un homme possédé d'un esprit impur[b], qui se mit à vociférer : ²⁴ « Que nous veux-tu[c], Jésus le Nazarénien ? Es-tu venu pour nous perdre[d] ? Je sais qui tu es : le Saint de Dieu[e]. » ²⁵ Mais Jésus le menaça : « Tais-toi, dit-il, et sors de cet homme. » ²⁶ Et l'esprit impur, le secouant violemment, sortit de l'homme, en poussant un grand cri. ²⁷ Et tous furent effrayés, de sorte qu'ils se demandaient les uns aux autres : « Qu'est-ce que cela ? Voilà un enseignement nouveau, donné d'autorité ! Il commande même aux esprits impurs et ils lui obéissent[f] ! » ²⁸ Et sa renommée se répandit aussitôt de tous côtés, dans toute la contrée de Galilée.

‖ Mt **8** 14-15
‖ Lc **4** 38-39

**Guérison
de la belle-mère
de Simon.**

²⁹ Et aussitôt, en sortant de la synagogue, il alla dans la maison de Simon et d'André, avec Jacques et Jean. ³⁰ Or la belle-mère de Simon

---

a) Les scribes, ou Docteurs de la Loi, ne prétendaient qu'à transmettre la doctrine traditionnelle des anciens. Jésus au contraire enseigne de sa propre autorité et ne craint pas de s'opposer à la tradition. Cf. **7** 1-13; **10** 2-12; Mt **5** 20-48; etc.

b) Le Judaïsme appelait ainsi les démons, étrangers et même hostiles à la pureté religieuse et morale qu'exige le service de Dieu.

c) Litt. « Qu'y a-t-il à nous et à toi ? » Formule sémitique servant à écarter un importun, ici au sens de : « Ne te mêle pas de nos affaires, laisse-nous tranquilles. » Cf. Jg **11** 12; 2 S **16** 10, etc., et voir encore Mc **5** 7 p; Jn **2** 4.

d) La phrase est prise aussi comme affirmation : « Tu es venu pour nous perdre. »

e) « Le Saint de Dieu » : comme en Jn **6** 69, l'expression indique une sainteté suréminente qui n'appartient qu'au Christ.

f) Autre ponctuation : « Voilà un enseignement nouveau; c'est avec autorité qu'il commande même aux esprits impurs... » — Cf. **1** 32-34, 39; **3** 11-12; **5** 1-20; **7** 24-30; **9** 17-29. Le pouvoir de Jésus sur Satan est un des signes de la venue du royaume messianique. Ce pouvoir, que Jésus communique à ses disciples (**3** 15; **6** 7, 13), il le tient lui-même de l'Esprit Saint qui est en lui (**3** 22-30). Cf. Mt **12** 28 et la note.

était au lit avec la fièvre, et aussitôt on lui parle d'elle.
³¹ S'approchant, il la prit par la main et la fit se lever. Et
la fièvre la quitta, et elle les servait.

Guérisons multiples. ³² Le soir venu, après le
coucher du soleil, on lui
amenait tous les malades et ‖ Mt **8** 16
‖ Lc **4** 40-41

les possédés, ³³ et la ville entière était rassemblée devant
la porte. ³⁴ Et il guérit beaucoup de malades affligés de
divers maux, et il chassa beaucoup de démons, mais il
empêchait les démons de parler, parce qu'ils savaient qui
il était ᵃ.

**Jésus
quitte secrètement
Capharnaüm
et parcourt la Galilée.** ³⁵ Le matin, bien avant le
jour, il se leva, sortit et
s'en alla dans un lieu soli-
taire, et là il priait. ³⁶ Simon
partit à sa poursuite avec ses ‖ Lc **4** 42-44
compagnons. ³⁷ Et, l'ayant
trouvé, ils lui disent : « Tout le monde te cherche. » ³⁸ Il
leur répond : « Allons ailleurs, dans les bourgs voisins,
afin que j'y prêche aussi, car c'est pour cela que je suis
sorti ᵇ. » ³⁹ Et il s'en alla à travers toute la Galilée, prêchant
dans leurs synagogues et chassant les démons.

---

a) Aux démons (**1** 34; **3** 12) comme aux miraculés (**1** 44; **5** 43; **7** 36;
8 26) et même aux Apôtres (**8** 30; **9** 9), Jésus impose une consigne de
silence sur son identité messianique. Le vulgaire se faisant alors du Messie
une idée nationaliste et guerrière fort différente de celle que voulait incar-
ner Jésus, il lui fallait user de beaucoup de prudence pour éviter des mépri-
ses fâcheuses sur sa mission. De fait, il ne devait revêtir la pleine dignité
de « Messie » et de « Fils de l'homme » qu'après les abaissements de la
Passion et le triomphe de la Résurrection; cf. Ac **2** 36 et la note sur
Mt **8** 20. Avant cette échéance et pour y parvenir, il devait rester caché et
souffrir. Cette consigne du « secret messianique » n'est pas une thèse arti-
ficielle inventée après coup par Marc, ainsi que certains l'ont prétendu;
elle répond à une attitude historique de Jésus, encore que Marc en ait fait
un thème sur lequel il aime insister.

b) Sorti de Capharnaüm (v. 35), tel est le sens premier et normal. Mais
un autre sens, plus profond et mystérieux, pourrait viser la sortie de Jésus

‖ Mt **8** 2-4
‖ Lc **5** 12-16

Guérison d'un lépreux.

[40] Un lépreux vient à lui, le supplie et, tombant à genoux, lui dit : « Si tu le veux, tu peux me guérir. » [41] Ému de compassion, Jésus étendit la main, le toucha et lui dit : « Je le veux, sois guéri. » [42] Et aussitôt la lèpre le quitta et il fut guéri. [43] Mais, le rudoyant, Jésus le chassa aussitôt, [44] en lui disant : « Garde-toi de rien dire à personne; mais va te montrer au prêtre et fais pour ta guérison l'offrande prescrite par Moïse pour leur servir d'attestation[a]. » [45] Mais lui, une fois parti, se mit à proclamer hautement et à divulguer la nouvelle, de sorte que Jésus ne pouvait plus entrer ouvertement dans une ville, mais il se tenait en dehors, dans des lieux déserts; et l'on venait à lui de toutes parts.

‖ Mt **9** 1-8
‖ Lc **5** 17-20

**Guérison
d'un paralytique.**

2. [1] Comme après quelque temps il était rentré à Capharnaüm, on apprit qu'il était à la maison[b]. [2] Et il s'y rassembla tant de monde qu'il n'y avait plus de place, même devant la porte, et il leur annonçait la Parole. [3] On vient lui amener un paralytique, porté par quatre hommes. [4] Comme ils ne pouvaient pas le lui présenter en raison de la foule, ils défirent le toit[c] au-dessus de l'endroit où il se trouvait et, ayant creusé un trou, ils firent descendre le grabat où gisait le paralytique. [5] Jésus, voyant leur foi, dit au paralytique : « Mon

---

d'auprès de Dieu pour venir en ce monde. Si Marc n'a pas songé à ce sens johannique (cf. Jn **8** 42; **13** 3; **16** 27 s, 30), Luc l'a fait pour lui dans son passage parallèle (Lc **4** 43).

a) Sur la purification rituelle des lépreux, cf. Lv **14** 1-32.

b) Peut-être la maison de Simon. Cf. **1** 29.

c) C'était une terrasse faite de terre battue, sur une jonchée de roseaux ou de branchages qui reposait sur des poutres. On y accédait par un escalier extérieur.

enfant, tes péchés sont remis[a]. » [6] Or, il y avait là, dans l'assistance, quelques scribes qui pensaient en eux-mêmes : [7] « Comment celui-là peut-il parler ainsi ? Il blasphème ! Qui peut remettre les péchés, sinon Dieu seul ? » [8] Aussitôt, se rendant compte intérieurement qu'ils pensaient ainsi en eux-mêmes, Jésus leur dit : « Pourquoi de telles pensées dans vos cœurs ? [9] Quel est le plus facile, de dire au paralytique : Tes péchés sont remis, ou de lui dire : Lève-toi, prends ton grabat et marche ? [10] Eh bien ! pour que vous sachiez que le Fils de l'homme a le pouvoir de remettre les péchés sur la terre, [11] je te l'ordonne, dit-il au paralytique, lève-toi, prends ton grabat et va-t'en chez toi. » [12] Il se leva et aussitôt, prenant son grabat, il sortit devant tout le monde, de sorte que tous étaient hors d'eux-mêmes et glorifiaient Dieu en disant : « Jamais nous n'avons rien vu de pareil. »

Appel de Lévi.

[13] Il sortit de nouveau le long de la mer[b], et tout le peuple venait à lui et il les enseignait. [14] En passant, il aperçut Lévi[c], fils d'Alphée, assis au bureau de la douane[d], et il lui dit : « Suis-moi. » Et, se levant, il le suivit.

‖ Mt **9** 9
‖ Lc **5** 27-28

**Repas
avec les pécheurs.**

[15] Alors qu'il était à table dans sa maison[e], beaucoup de publicains et de pécheurs se trouvaient à table avec

‖ Mt **9** 10-13
‖ Lc **5** 29-32

---

a) Cette parole enfermait une promesse de guérison, d'autant que, dans la croyance populaire, les infirmités étaient considérées comme la conséquence de quelque péché commis par le patient ou par ses parents (cf. Jn **9** 2).

b) La mer de Galilée ou lac de Tibériade.

c) Le même qui dans le premier évangile (**9** 9) est appelé Matthieu.

d) Capharnaüm, ville-frontière entre les États d'Hérode Antipas, tétrarque de Galilée, et ceux de son frère Philippe, tétrarque d'Iturée et de Trachonitide, avait un bureau où l'on percevait les droits de douane et de péage.

e) Dans la maison de Lévi, comme Lc **5** 29 l'indique expressément.

Jésus et ses disciples : car il y en avait beaucoup qui le suivaient. ¹⁶ Les scribes du parti des Pharisiens, le voyant manger avec les pécheurs et les publicains*a*, disaient à ses disciples : « Pourquoi mange-t-il avec les publicains et les pécheurs*b* ? » ¹⁷ Jésus, qui avait entendu, leur dit : « Ce ne sont pas les gens bien portants qui ont besoin de médecin, mais les malades. Je ne suis pas venu appeler les justes, mais les pécheurs. »

‖ Mt **9** 14-17
‖ Lc **5** 33-39

Discussion sur le jeûne.

¹⁸ Un jour que les disciples de Jean et les Pharisiens jeûnaient*c*, on vient lui dire : « Pourquoi, alors que les disciples de Jean et les disciples des Pharisiens jeûnent, tes disciples ne jeûnent-ils pas ? » ¹⁹ Jésus leur répondit : « Sied-il aux compagnons de l'époux*d* de jeûner pendant que l'époux est avec eux ? Tant qu'ils ont l'époux avec eux, il ne leur sied pas de jeûner. ²⁰ Viendront des jours où l'époux leur sera enlevé; et alors ils jeûneront, en ce jour-là. ²¹ Personne ne coud une pièce de drap non foulé

---

a) Les publicains étaient les employés du fisc : leur métier était mal famé. Quant aux pécheurs, c'étaient, aux yeux des Pharisiens, tous ceux qui n'observaient pas scrupuleusement les prescriptions de la Loi et les traditions pharisaïques, spécialement dans les questions de pureté rituelle ou de relations avec les païens.

b) Les règles pharisaïques de pureté rituelle portant en grande partie sur l'alimentation (cf. **7** 3-4), les zélateurs de la Loi ne pouvaient sans se souiller manger avec des gens qui ne les observaient pas. Ce point délicat de la commensalité suscitera de graves difficultés dans l'Église primitive : cf. Ac **10** 11-16, 28; **11** 3; Ga **2** 11 s; etc. Jésus adopte sur ce point une attitude libératrice.

c) Le jeûne était chez les Juifs une manifestation de la pénitence et du deuil. Aux jeûnes prescrits par la Loi (Lv **16** 29) ou par les chefs de la communauté en cas de calamité publique, les Juifs pieux ajoutaient des jeûnes de dévotion (Tb **12** 8; Jdt **8** 6; Lc **2** 37; **18** 12). Le jeûne dont il est fait ici mention était une de ces pratiques de surérogation.

d) Litt. « les fils de la chambre nuptiale » : l'expression, plus large que le français « garçons d'honneur », désigne tous les compagnons de l'époux qui contribuaient à la joie de la noce.

à un vieux vêtement; autrement, le morceau rapporté tire sur lui, le neuf sur le vieux, et la déchirure s'aggrave. ²² Personne ne met non plus du vin nouveau dans de vieilles outres; autrement, le vin fera éclater les outres, et le vin est perdu aussi bien que les outres. Mais à vin nouveau, outres neuves[a] ! »

Les épis arrachés.

²³ Un jour de sabbat qu'il passait à travers des moissons, ses disciples, chemin faisant, se mirent à arracher les épis[b]. ²⁴ Et les Pharisiens de lui dire : « Vois ! Pourquoi font-ils le jour du sabbat ce qui n'est pas permis[c] ? » ²⁵ Il leur répond : « N'avez-vous jamais lu ce que fit David, lorsqu'il fut dans le besoin et qu'il eut faim, lui et ses compagnons, ²⁶ comment il entra dans la maison de Dieu[d], au temps du grand

‖ Mt **12** 1-8
‖ Lc **6** 1-5

---

2 26. « *au temps du grand prêtre Abiathar* » omis par *D W VetLat Syrsin, omission qui s'explique par les difficultés historiques, voir la note.*

---

a) Par ces deux comparaisons des vv. 21 et 22 (genre du *mashal* hébraïque), Jésus veut enseigner que pour recevoir sa doctrine, entrer dans la vie nouvelle qu'il inaugure, ses disciples doivent être animés d'un esprit nouveau, incompatible avec la stricte observance de traditions pharisaïques dénuées de réelle autorité. A cette heure de son ministère, il s'agit immédiatement pour Jésus de dégager ses disciples de tout lien sectaire pour se les attacher à lui seul comme Maître. Mais le principe est posé. Un jour viendra où, à la lumière conjointe du Saint Esprit et de l'expérience chrétienne, ce ne seront pas seulement les observances pharisaïques, mais le Judaïsme lui-même qui apparaîtra aux disciples comme un vêtement usé qu'on ne peut coudre au Christianisme : l'Église se séparera de la Synagogue.

b) Mt **12** 1 donne la raison de cette conduite des disciples : « ils avaient faim ».

c) Ce qui est reproché aux disciples, ce n'est pas de cueillir en passant des épis dans le champ du voisin, — la Loi (Dt **23** 26) le permettait, — mais de le faire le jour du sabbat. Les Pharisiens avaient étendu jusqu'au simple geste de cueillir un fruit ou de couper une feuille, le précepte mosaïque (Ex **34** 21) de ne pas moissonner pendant le repos sabbatique.

d) Cette maison de Dieu n'était pas le temple de Jérusalem, qui n'existait pas encore, mais le sanctuaire de Yahvé à Nob (1 S **21** 1-7).

prêtre Abiathar[a], et mangea les pains de proposition[b] qu'il n'est permis de manger qu'aux prêtres, et en donna aussi à ses compagnons ? »

27 Et il leur dit : « Le sabbat a été fait pour l'homme, et non l'homme pour le sabbat; 28 en sorte que le Fils de l'homme est maître même du sabbat[c]. »

|| Mt **12** 9-14
|| Lc **6** 6-11

Guérison d'un homme à la main desséchée.

3. 1 Jésus entra de nouveau dans une synagogue, et il y avait un homme qui avait une main desséchée. 2 Et ils l'épiaient pour voir s'il allait le guérir le jour du sabbat, afin de pouvoir l'accuser[d]. 3 Il dit à l'homme qui avait la main desséchée : « Lève-toi, là, devant tout le monde. » 4 Puis il leur dit : « Est-il permis, le jour du sabbat, de faire du bien plutôt que de faire du mal, de sauver une vie plutôt que de la tuer ? » Mais eux se taisaient. 5 Alors, promenant sur eux un regard de colère, navré de l'endurcissement de leur cœur, il dit à l'homme : « Étends la main. » Il l'étendit et sa main fut remise en état. 6 Alors les Pharisiens sortirent et aussitôt ils tenaient conseil avec les Hérodiens[e] contre lui, en vue de le perdre.

---

a) Le grand prêtre de 1 S **21** 2-7 était en réalité Ahimélek. Ou bien son fils Abiathar (Ébyatar) est ici nommé parce que plus célèbre comme grand prêtre du temps de David, 2 S **20** 25, ou bien Mc suit une tradition divergente qui faisait d'Abiathar le père d'Ahimélek (2 S **8** 17 hébr.).

b) Les pains de proposition étaient des gâteaux de fleur de farine qu'on plaçait dans le sanctuaire. On sait que dans le temple de Salomon, successeur de David, ils étaient au nombre de douze, autant que de tribus d'Israël; ils étaient renouvelés chaque sabbat et mangés ensuite par les prêtres (Lv **24** 5-9).

c) Le Fils de l'homme, arbitre suprême de tout ce qui touche au bien spirituel de l'homme, est le maître du sabbat : Jésus affirme ainsi son pouvoir, même sur les institutions données par Dieu à Israël.

d) Sauf danger de mort, les Pharisiens remettaient après le sabbat le traitement des malades ou des blessés.

e) Il faut voir dans les Hérodiens, plutôt que des fonctionnaires pro-

Les foules à la suite de Jésus.

[7] Jésus se retira avec ses disciples au bord du lac et beaucoup de monde de la Galilée le suivit; et de la Judée, [8] de Jérusalem, de l'Idumée, de la Transjordane, du pays de Tyr et de Sidon, beaucoup de monde, apprenant tout ce qu'il faisait, vint à lui. [9] Il dit alors à ses disciples qu'une barque fût tenue à sa disposition, à cause de la foule, pour qu'elle ne le pressât pas trop. [10] Car il en avait guéri beaucoup, si bien que tous ceux qui étaient affligés de maladies se précipitaient vers lui pour le toucher. [11] Et les esprits impurs, lorsqu'ils le voyaient, se prosternaient devant lui et criaient : « Tu es le Fils de Dieu[a] ! » [12] Mais il leur enjoignait avec force de ne pas le faire connaître.

|| Mt **12** 15-16
|| Lc **6** 17-19
|| Mt **4** 25

|| Lc **4** 41

Institution des Douze.

[13] Puis il gravit la montagne et il appelle à lui ceux qu'il voulait. Ils vinrent à lui, [14] et il en institua Douze pour être ses compagnons et pour les envoyer prêcher, [15] avec pouvoir de chasser les démons. [16] Il institua donc les Douze, Simon, auquel il donna le nom de Pierre[b], [17] Jacques, fils de Zébédée, et Jean, frère de Jacques, auxquels il donna le nom de Boanergès, c'est-à-dire fils du tonnerre, [18] puis André, Philippe, Barthélemy, Matthieu, Thomas, Jacques, fils d'Alphée, Thaddée[c],

|| Mt **10** 1-4
|| Lc **6** 12-16

= **6** 7

---

prement dits, des Juifs politiques qui montraient du zèle pour la maison d'Hérode Antipas, tétrarque de Galilée, et conséquemment avaient de l'influence auprès de lui. Ils pouvaient s'entendre avec les Pharisiens pour réprimer tout mouvement politique ou religieux qui menaçait ou paraissait menacer le *statu quo*.

a) Voir la note sur Mt **4** 3.

b) Pierre : en araméen *Képha,* dont la traduction exacte est « Rocher ».

c) Thaddée, appelé aussi Lebbée dans plusieurs manuscrits, correspond dans les listes de Lc **6** 16 et Ac **1** 13 à Judas (fils) de Jacques.

Simon le Zélé, [19] et Judas Iscarioth[a], celui-là même qui
le livra[b].

Démarche
des parents de Jésus.
[20] Il revient à la maison[c]
et de nouveau la foule s'y
presse, au point qu'il ne leur
était même pas loisible de
prendre de la nourriture. [21] Et les siens, l'ayant appris,
partirent pour se saisir de lui, car ils disaient[d] : « Il a perdu
le sens. »

Mt **12** 24-32
‖ Lc **11** 15-
22 ; **12** 10

Calomnies des scribes.
[22] Et les scribes qui étaient
descendus de Jérusalem disaient : « Il est possédé de
Béelzéboul[e] », et encore : « C'est par le Prince des démons
qu'il expulse les démons. » [23] Les ayant appelés près de lui,
il leur disait en paraboles : « Comment Satan peut-il expulser Satan ? [24] Si un royaume est divisé contre lui-même,
ce royaume-là ne peut subsister. [25] Et si une maison est
divisée contre elle-même, cette maison-là ne pourra se
maintenir. [26] Si donc Satan s'est dressé contre lui-même
et s'est divisé, il ne peut pas tenir, il est fini. [27] Mais nul ne

---

a) Iscarioth est généralement interprété comme signifiant « l'homme
(hébreu *ish*) de Kérioth », ville du pays de Juda (Jos **15** 25); mais voir
la note sur Mt **10** 2.

b) En ce point Mt **5-7** et Lc **6** 20-49 reproduisent un long discours de
Jésus qui ne figure pas dans Mc. On a de bonnes raisons de croire que
celui-ci l'a connu, au moins sous une forme primitive, mais a choisi de
l'omettre comme moins nécessaire au but particulier de son évangile, qui
s'adressait à des lecteurs peu soucieux de la Loi juive et qui, d'une façon
générale, s'attache davantage à l'œuvre et à la personne du Christ, Messie
et Fils de Dieu, qu'au détail de ses enseignements.

c) Cf. **2** 1.

d) On traduit aussi : « car on (leur) disait ».

e) On trouve aussi *Béelzéboub*. Ce dernier nom, « dieu des mouches »,
est celui d'un dieu philistin d'Éqrôn (2 R **1** 1, 2, 3, 6, 16). C'est là un sobri-
quet par jeu de mots. La vraie forme du nom, attestée par les textes cana-
néens de Ras-Shamra, est *Baal Zeboul*, ce qui signifie « Baal le Prince »,
d'où le titre de « Prince des Démons » que lui donnaient les Juifs.

peut pénétrer dans la maison d'un homme fort et piller ses affaires s'il n'a d'abord ligoté cet homme fort, et alors il pillera sa maison.

[28] « En vérité, je vous le dis, tout sera pardonné aux enfants des hommes, les péchés et les blasphèmes tant qu'ils en auront proféré; [29] mais quiconque aura blasphémé contre l'Esprit Saint n'aura jamais de pardon : il est coupable d'une faute éternelle[a]. » [30] C'est qu'ils disaient : « Il est possédé d'un esprit impur. »

La vraie parenté de Jésus.

[31] Sa mère et ses frères[b] arrivent et, se tenant dehors, ils le font demander. [32] Beaucoup de gens étaient alors assis autour de lui et on lui dit : « Voilà que ta mère et tes frères et tes sœurs sont là dehors qui te cherchent. » [33] Il leur répond : « Qui est ma mère ? et mes frères ? » [34] Et, promenant son regard sur ceux qui étaient assis en rond autour de lui, il dit : « Voici ma mère et mes frères. » [35] Quiconque fait la volonté de Dieu, celui-là est mon frère et ma sœur et ma mère[c]. »

|| Mt **12** 46-50
|| Lc **8** 19-21

Parabole du semeur.

4. [1] Il se mit de nouveau à enseigner au bord de la mer et une foule très nombreuse s'assemble auprès de lui, si bien qu'il monte dans

|| Mt **13** 1-9
|| Lc **8** 4-8

---

a) Le péché contre le Saint Esprit apparaît ici comme une attitude d'obstination dans le mal qui fait attribuer à l'esprit malin ce qui est manifestement pour toute âme droite l'œuvre de la Bonté divine. De soi, une telle disposition conduit à l'impénitence finale. On peut toutefois, avec saint Thomas, réserver la possibilité d'un changement spirituel, comme par miracle.

b) Les frères désignent ici, comme en **6** 3, non des fils de Marie, mais des parents plus éloignés tels que des cousins.

c) Le Christ n'abolit pas les liens naturels de la famille, mais il enseigne que ces affections « de la chair et du sang » doivent être subordonnées à un bien supérieur, l'accomplissement de la volonté de Dieu.

une barque et s'y assied, en mer; et toute la foule était à terre, le long de la mer. ² Il leur enseignait beaucoup de choses en paraboles et il leur disait dans son enseignement : ³ « Écoutez ! Voici que le semeur est sorti pour semer. ⁴ Or, comme il semait, une partie du grain est tombée au bord du chemin, et les oiseaux sont venus tout manger. ⁵ Une autre est tombée sur le sol pierreux où elle n'avait pas beaucoup de terre, et aussitôt elle a levé, parce qu'elle n'avait pas de profondeur de terre; ⁶ et lorsque le soleil s'est levé, elle a été brûlée et, faute de racine, s'est desséchée. ⁷ Une autre est tombée dans les épines, et les épines ont monté et l'ont étouffée, et elle n'a pas donné de fruit. ⁸ D'autres sont tombés dans la bonne terre, et ils ont donné du fruit en montant et en se développant, et ils ont produit l'un trente, l'autre soixante, l'autre cent pour un. » ⁹ Et il ajoutait : « Entende, qui a des oreilles pour entendre ! »

|| Mt **13** 10-15
|| Lc **8** 9-10

Pourquoi Jésus parle en paraboles.

¹⁰ Quand il fut à part de la foule, ceux de son entourage avec les Douze lui demandèrent le sens des paraboles. ¹¹ Et il leur disait : « A vous le mystère du Royaume de Dieu a été donné; mais à ceux-là qui sont dehors tout

Is **6** 9-10 arrive en paraboles, ¹² afin qu'*ils aient beau voir et n'aperçoivent pas, qu'ils aient beau entendre et ne comprennent pas, de peur qu'ils ne se convertissent et qu'il ne leur soit pardonné*ᵃ. »

---

4 8. « *ils ont donné... se développant* »; *d'autres traduisent d'après une autre leçon : « ils ont donné du fruit qui a monté et s'est développé » ainsi Vulg et une partie de T. Alex.*

---

a) Ce texte d'Isaïe (**6** 9-10) est cité de nouveau dans Jn **12** 40 et dans Act **28** 26 : chaque fois pour constater l'incrédulité des Juifs au message évangélique. Dans Isaïe, le sens est que « la prédication du prophète, vu les mauvaises dispositions de ses auditeurs, sera l'occasion de leur endurcissement » (Condamin). De même ici la prédication du Christ est une

Explication de la parabole du semeur.

¹³ Il leur dit : « Vous ne saisissez pas cette parabole ? Alors comment comprendrez-vous toutes les paraboles*? ¹⁴ Le semeur, c'est la Parole qu'il sème. ¹⁵ Ceux qui sont au bord du chemin où la Parole est semée, sont ceux qui ne l'ont pas plus tôt entendue que Satan arrive et enlève la Parole semée en eux. ¹⁶ Et de même ceux qui reçoivent la semence sur les endroits pierreux, sont ceux qui, lorsqu'ils entendent la Parole, l'accueillent aussitôt avec joie, ¹⁷ mais ils n'ont pas de racine en eux-mêmes et sont les hommes d'un moment : survienne ensuite une tribulation ou une persécution à cause de la Parole, aussitôt ils succombent. ¹⁸ Et il y en a d'autres qui reçoivent la semence dans les épines : ceux-ci ont entendu la Parole, ¹⁹ mais les soucis du monde, la séduction de la richesse et les autres convoitises les envahissent et étouffent la Parole, qui ne peut faire du fruit. ²⁰ Et il y a ceux qui ont reçu la semence dans la bonne terre : ils écoutent la Parole, l'accueillent et portent du fruit, trente, soixante ou cent pour un. »

|| Mt **13** 18-23
|| Lc **8** 11-15

Parabole de la lampe.

²¹ Et il leur disait : « Est-ce que la lampe paraît pour qu'on la mette sous le boisseau ou sous le lit ? N'est-ce pas pour qu'on la mette sur

|| Lc **8** 16-17
|| Mt **10** 26

occasion d'endurcissement pour des auditeurs volontairement aveugles. La citation d'Isaïe constate ce résultat prévu et permis; la particule « afin que » (reprise par Mc mais évitée par Mt) exprime une finalité scripturaire : « afin que s'accomplisse l'Écriture qui dit... ».

a) Ce thème des apôtres ne comprenant pas les paroles ou les actes de Jésus a été particulièrement souligné par Mc **6** 52; **7** 18; **8** 17-18, 21, 33; **9** 10, 32; **10** 38. A part quelques parallèles (Mt **15** 16; **16** 9, 23; **20** 22; Lc **9** 45) et Lc **18** 34; **24** 25, 45, Mt et Lc l'ont le plus souvent omis, ou même corrigé; comparer Mt **14** 33 à Mc **6** 51-52, et voir Mt **13** 51. Cf. Introd., pp. 17 s.

le lampadaire ? ²² Car il n'y a rien de caché qui ne doive être manifesté et rien n'est demeuré secret que pour venir au grand jour. ²³ Si quelqu'un a des oreilles pour entendre, qu'il entende ! »

|| Mt **7** 2 ; **13**
12
|| Lc **6** 38 ; **8**
18

Parabole de la mesure.

²⁴ Et il leur disait : « Prenez garde à ce que vous entendez ! De la mesure dont vous mesurez, on mesurera pour vous, et on vous donnera encore plus. ²⁵ Car à celui qui a l'on donnera, et à celui qui n'a pas, on enlèvera même ce qu'il a ^a. »

**Parabole du grain
qui pousse tout seul.**

²⁶ Et il disait : « Il en est du Royaume de Dieu comme d'un homme qui aurait jeté du grain en terre : ²⁷ qu'il dorme ou qu'il se lève, la nuit ou le jour, la semence germe et pousse, il ne sait comment. ²⁸ D'elle-même, la terre produit d'abord l'herbe, puis l'épi, puis plein de blé dans l'épi. ²⁹ Et quand le fruit s'y prête, aussitôt il y met la faucille, parce que la moisson est à point ^b. »

|| Mt **13** 31-32
|| Lc **13** 18-19

**Parabole
du grain de sénevé.**

³⁰ Et il disait : « A quoi allons-nous comparer le Royaume de Dieu ? ou par quelle parabole allons-nous le figurer ? ³¹ C'est comme un grain de sénevé qui, lorsqu'on le sème sur le sol, est la plus petite de toutes les graines qui sont sur la terre; ³² mais une fois semé, il

---

a) Nous avons là deux proverbes appliqués aux dispositions qu'il faut apporter à entendre la parole du Christ : qui l'écoute avec attention et s'ouvre à son enseignement, reçoit une lumière qui croît en proportion de la bonne volonté et même la surpasse, tandis que cet enseignement tourne au détriment de qui n'y est pas attentif.

b) Réminiscence de Jl **4** 13. La leçon de cette parabole est que le Royaume de Dieu porte en lui-même un principe de développement, une force secrète qui l'amènera à son complet achèvement.

monte et devient la plus grande de toutes les plantes pota-
gères, et il pousse de grandes branches, au point que les
oiseaux du ciel peuvent s'abriter sous son ombre[a]. »

**Conclusion
sur les paraboles.**

[33] C'est par un grand nombre de paraboles de ce genre
qu'il leur annonçait la Parole
dans la mesure où ils étaient
capables de l'entendre; [34] et il ne leur parlait pas sans
parabole, mais, en particulier, il expliquait tout à ses
disciples.

|| Mt **13** 34-35

La tempête apaisée.

[35] Ce même jour, le soir
venu, il leur dit : « Passons
sur l'autre rive. » [36] Et lais-
sant la foule, ils l'emmènent, comme il était, dans la barque; et il y avait d'autres barques avec lui. [37] Survient
alors une forte bourrasque, et les vagues se jetaient dans
la barque, de sorte que déjà elle se remplissait. [38] Et lui
était à la poupe, dormant sur le coussin. [39] Ils le réveillent
et lui disent : « Maître, tu ne te soucies pas de ce que nous
périssons ? » S'étant réveillé, il menaça le vent et dit à la
mer : « Silence ! Calme-toi ! » Et le vent tomba et il se fit
un grand calme. [40] Puis il leur dit : « Pourquoi avez-vous
peur ainsi ? Comment n'avez-vous pas de foi ? » [41] Alors
ils furent saisis d'une grande crainte et ils se disaient entre
eux : « Qui est-il donc celui-là, que même le vent et la
mer lui obéissent ? »

|| Mt **8** 18, 23-27
|| Lc **8** 22-25

---

40. « *Comment n'avez-vous pas de foi ?* » *la masse* ; « *N'avez-vous pas encore
de foi ?* » T. *Alex* T. *Cés* D *VetLat.*

---

a) La parabole du grain de sénevé met en contraste les humbles com-
mencements du Royaume de Dieu avec la merveilleuse expansion à laquelle
il est appelé.

‖ Mt **8** 28-34
‖ Lc **8** 26-39

Le démoniaque
gérasénien.

5. [1] Ils arrivèrent de l'autre côté du lac, dans le pays des Géraséniens[a]. [2] Et aussitôt que Jésus eut débarqué, vint à sa rencontre, sortant des tombeaux, un homme possédé d'un esprit impur : [3] il avait sa demeure dans les tombeaux[b] et personne ne pouvait plus le lier, même avec une chaîne, [4] car souvent on l'avait lié avec des entraves et avec des chaînes, mais il avait rompu les chaînes et brisé les entraves, et personne ne parvenait à le dompter. [5] Et sans cesse, nuit et jour, il était dans les tombeaux et dans les montagnes, poussant des cris et se tailladant avec des cailloux. [6] Voyant Jésus de loin, il accourut, se prosterna devant lui [7] et cria d'une voix forte : « Que me veux-tu, Jésus, fils du Dieu Très Haut[c] ? Je t'adjure par Dieu, ne me tourmente pas ! » [8] Jésus lui disait en effet : « Sors de cet homme, esprit impur ! » [9] Et il lui demandait : « Quel est ton nom ? » Il lui répond : « Légion est mon nom, car nous sommes beaucoup. » [10] Et il le suppliait instamment de ne pas les expulser hors du pays. [11] Or il y avait là, sur la montagne, un grand troupeau de porcs en train de paître. [12] Et les esprits impurs supplièrent Jésus en disant : « Envoie-nous vers les porcs, que nous y entrions. » [13] Il le leur permit. Alors ils sortirent et entrèrent dans les porcs et, du haut de l'escarpement, le troupeau se précipita

---

5 1. « *Géraséniens* » *S B D VetLat Sa* Tertullien ; « *Gergéséniens* » *quelques minusc. Syr*sin ; « *Gadaréniens* » *la masse, cf.* Mt **8** 28.

---

a) Par ce pays des Géraséniens, Marc entend désigner une aire géographique étendue, la ville de Gérasa (Djérash) étant située à 30 milles au sud-est du lac, à moins qu'on ne veuille retrouver la Gérasa de Marc dans un ancien village *Chorsia* (en arabe *Koursi*) à proximité de la rive orientale du lac.

b) Il s'agit de cavernes servant de sépulcres.

c) Voir la note sur Mt **4** 3.

dans la mer, au nombre d'environ deux mille, et ils se noyaient dans la mer. [14] Leurs gardiens prirent la fuite et portèrent la nouvelle à la ville et dans les fermes; et les gens vinrent pour voir qu'est-ce qui s'était passé. [15] Ils arrivent auprès de Jésus et ils voient le démoniaque assis, vêtu et dans son bon sens, lui qui avait eu la Légion, et ils furent saisis de frayeur. [16] Ceux qui avaient été témoins leur racontèrent comment cela s'était passé pour le possédé et ce qui était arrivé aux porcs. [17] Alors ils se mirent à prier Jésus de s'éloigner de leur territoire[a].

[18] Comme il montait en barque, l'homme qui avait été possédé lui demandait de rester en sa compagnie. [19] Il ne le lui accorda pas, mais il lui dit : « Va chez toi auprès des tiens et annonce-leur tout ce que le Seigneur a fait pour toi dans sa miséricorde[b]. » [20] Il s'en alla donc et se mit à publier dans la Décapole[c] tout ce que Jésus avait fait pour lui, et tout le monde était dans l'admiration.

Guérison d'une hémorroïsse et résurrection de la fille de Jaïre.

[21] Lorsque Jésus eut regagné en barque l'autre rive, une foule nombreuse se rassembla autour de lui, et il se tenait au bord de la mer. [22] Arrive alors un des chefs de synagogue, nommé Jaïre, qui, le voyant, tombe à ses pieds [23] et le supplie avec instance : « Ma petite fille est à toute extrémité, viens lui imposer les mains pour qu'elle soit guérie et qu'elle vive. » [24] Jésus partit avec lui et une foule nombreuse le suivait qui le pressait de tous côtés.

|| Mt **9** 18-26
|| Lc **8** 40-56

---

a) Cette contrée, à l'est du lac, était peuplée en majorité de païens.

b) Nous sommes en territoire païen; aussi Jésus n'observe-t-il pas la réserve qu'il s'est imposée en Israël; voir la note sur **1** 34.

c) La Décapole était un groupement de dix villes avec leur territoire, situées pour la plupart à l'est du Jourdain.

²⁵ Or, une femme atteinte d'un flux de sang depuis douze années, ²⁶ qui avait beaucoup souffert du fait de nombreux médecins et avait dépensé tout son avoir sans aucun profit, mais allait plutôt de mal en pis, ²⁷ avait entendu parler de Jésus; venant par derrière dans la foule, elle toucha son manteau. ²⁸ Car elle se disait : « Si je touche au moins ses vêtements, je serai sauvée. » ²⁹ Aussitôt la source d'où elle perdait le sang fut tarie, et elle sentit dans son corps qu'elle était guérie de son infirmité. ³⁰ Aussitôt Jésus eut conscience de la force qui était sortie de lui[a], et s'étant retourné dans la foule, il demandait : « Qui a touché mes vêtements ? » ³¹ Ses disciples lui disaient : « Tu vois la foule qui te presse de tous côtés, et tu demandes : Qui m'a touché ? » ³² Et il regardait autour de lui pour voir celle qui avait fait cela. ³³ Alors la femme, toute craintive et tremblante[b], sachant bien ce qui lui était arrivé, vint se jeter à ses pieds et lui dit toute la vérité. ³⁴ « Ma fille, lui dit-il, ta foi t'a sauvée; va en paix et sois guérie de ton infirmité. »

³⁵ Il parlait encore, quand, de chez le chef de synagogue, arrivent des gens qui lui disent : « Ta fille est morte; pourquoi déranger encore le Maître ? » ³⁶ Mais Jésus, qui avait surpris la parole qu'on venait de prononcer, dit au chef de synagogue : « Ne crains pas; aie seulement la foi. » ³⁷ Et il ne laissa personne l'accompagner, si ce n'est Pierre, Jacques et Jean, le frère de Jacques[c]. ³⁸ Ils arrivent à la maison du chef de synagogue et Jésus aperçoit du tumulte, des gens qui pleuraient et poussaient de grands

---

a) Cette force est conçue comme un effluve physique qui opère les guérisons (cf. Lc 6 19) par le moyen d'un contact : cf. 1 41; 3 10; 6 56; 8 22.

b) Outre son caractère humiliant, cette infirmité mettait la femme en état d'impureté légale (Lv 15 25).

c) Les mêmes qui seront les témoins privilégiés de la Transfiguration (9 2) et de l'Agonie à Gethsémani (14 33). Voir encore 1 29 et 13 3.

cris. ³⁹ Étant entré, il leur dit : « Pourquoi ce tumulte et ces pleurs ? L'enfant n'est pas morte, mais elle dort. » ⁴⁰ Et ils se moquaient de lui. Mais les ayant tous mis dehors, il prend avec lui le père et la mère de l'enfant, ainsi que ceux qui l'accompagnaient, et il pénètre là où était l'enfant. ⁴¹ Et prenant la main de l'enfant, il lui dit : « Talitha koum[a] », ce qui signifie : « Fillette, je te le dis, lève-toi ! » ⁴² Aussitôt la fillette se leva et elle se mit à marcher, car elle avait douze ans. Et ils furent saisis aussitôt d'une grande stupeur. ⁴³ Et il leur recommanda vivement que personne ne le sût et il dit de lui donner à manger.

6. ¹ Étant parti de là, il se rend dans sa patrie[b], et ses disciples l'accompagnent.

Visite à Nazareth.

‖ Mt **13** 53-58
‖ Lc **4** 16-30

² Le sabbat venu, il se mit à enseigner dans la synagogue et le grand nombre en l'entendant étaient frappés d'étonnement et disaient : « D'où cela lui vient-il ? Et qu'est-ce que cette sagesse qui lui a été donnée et ces grands miracles qui se font par ses mains ? » ³ N'est-ce pas là le charpentier[c], le fils de Marie, le frère[d] de Jacques, de Joset, de Jude et de Simon ? Et ses sœurs ne sont-elles pas ici parmi nous ? » Et ils se choquaient sur son compte. ⁴ Et Jésus leur disait : « Un prophète n'est méprisé que dans sa patrie, dans sa parenté et dans sa maison. » ⁵ Et il ne put faire là aucun miracle[e], si ce n'est de guérir quelques malades en

---

6 3. « *Joset* » *T. Alex T. Cés D* ; « *Joseph* » *S VetLat* ; « *José* » *la masse.*

---

a) Ces mots sont de l'araméen, langue que parlait Jésus.

b) Il s'agit de Nazareth, où il avait passé son enfance et sa jeunesse.

c) Le mot que nous traduisons par « charpentier » a un sens moins spécialisé : il comprend le métier de charpentier, de menuisier et, à l'occasion, de maçon et de forgeron.

d) Cf. **3** 31.

e) Sans être limitée en elle-même, la puissance thaumaturgique de Jésus est cependant conditionnée par les dispositions des hommes. Voir la note de Mt **8** 10.

leur imposant les mains, ⁶ et il s'étonnait de leur manque de foi.

‖ Mt **10** 1, 9-
14
‖ Lc **9** 1-6

= **3** 14 s

Mission des Douze. Il parcourait les bourgs à la ronde en enseignant. ⁷ Il appelle alors les Douze et il se mit à les envoyer en mission deux à deux, en leur donnant autorité sur les esprits impurs. ⁸ Et il leur prescrivit de ne rien prendre pour la route qu'un bâton seulement[a], ni pain, ni besace, ni menue monnaie pour la ceinture, ⁹ mais : « Allez chaussés de sandales et ne mettez pas deux tuniques. » ¹⁰ Et il leur disait : « Où que vous entriez dans une maison, demeurez-y jusqu'à ce que vous partiez de là. ¹¹ Et si un endroit ne vous accueille pas et que les gens ne vous écoutent pas, sortez de là et secouez la poussière qui est sous vos pieds, en témoignage contre eux. » ¹² Ils s'en allèrent prêcher qu'on se repentît ; ¹³ et ils chassaient beaucoup de démons et faisaient des onctions d'huile à de nombreux malades et les guérissaient.

‖ Mt **14** 1-2
‖ Lc **3** 19-20

Hérode et Jésus. ¹⁴ Cependant le roi Hérode[b] entendit parler de lui, car son nom était devenu célèbre, et l'on disait : « Jean le Baptiste est ressuscité d'entre les morts ; d'où les pouvoirs miraculeux qui se déploient en sa personne. » ¹⁵ D'autres disaient : « C'est Élie. » D'autres encore : « C'est un prophète comme les autres prophètes. » ¹⁶ Hérode donc, en ayant entendu par-

---

14. « *l'on disait* » B D W *VetLat* (*a b ff*²) ; « *il disait* » *la masse.*

---

a) Selon Mt et Lc, Jésus aurait interdit même le port du bâton. Ce léger contraste dans la forme littéraire n'intéresse point le fond de la pensée, qui est bien le même — détachement complet du missionnaire — et qui seul importe.

b) Hérode Antipas, fils d'Hérode le Grand, gouvernait la Galilée, sous la dépendance des Romains. « Roi » est une désignation populaire, non ratifiée par Rome ; le titre officiel était « Tétrarque ».

ler, disait : « C'est Jean que j'ai fait décapiter, qui est ressuscité ! »

Exécution de Jean-Baptiste.

¹⁷ En effet, c'était lui Hérode qui avait envoyé arrêter Jean et l'enchaîner en prison[a], à cause d'Hérodiade, la femme de Philippe son frère qu'il avait épousée. ¹⁸ Car Jean disait à Hérode : « Il ne t'est pas permis d'avoir la femme de ton frère. » ¹⁹ Quant à Hérodiade, elle était acharnée contre lui et voulait le faire mourir, mais elle n'y parvenait pas, ²⁰ parce qu'Hérode craignait Jean, sachant que c'était un homme juste et saint, et il le protégeait; quand il l'avait entendu, il était fort perplexe[b], et c'était avec plaisir qu'il l'écoutait.

||Mt **14** 3-12
||Lc **3** 19-20

²¹ Or vint un jour propice[c], quand Hérode, à l'anniversaire de sa naissance, donna un banquet aux grands de sa cour, à ses officiers et aux principaux personnages de la Galilée : ²² la fille de la dite Hérodiade[d] entra et dansa, et elle plut à Hérode et à ses convives. Alors le roi dit à la jeune fille : « Demande-moi ce que tu voudras, je te le donnerai. » ²³ Et il lui fit un serment : « Tout ce que tu me demanderas, je te le donnerai, fût-ce la moitié

---

20. « *il était fort perplexe* » T. *Alex* T. *Cés* D *VetLat* ; « *il faisait beaucoup de choses* » *la masse.*

---

a) D'après l'historien juif Josèphe, Jean fut emprisonné dans la forteresse de Machéronte, bâtie sur les hauteurs de Moab qui dominent la mer Morte.

b) Une autre traduction, fort séduisante, a été suggérée : « il l'écoutait, *lui posait toutes sortes de questions* et aimait à l'entendre ». Mais ce sens d'ἀπορεῖν, attesté par Platon et Aristote, semble réservé aux discussions de la dialectique.

c) On serait tenté de traduire « jour de fête », si ce sens du grec εὐκαιρός n'était pas d'une attestation assez tardive.

d) Cette fille qu'Hérodiade avait eue de son premier mari, s'appelait Salomé.

de mon royaume ! » ²⁴ Elle sortit et dit à sa mère : « Que faut-il demander ? » — « La tête de Jean le Baptiste », répondit celle-ci. ²⁵ Rentrant aussitôt en hâte auprès du roi, la jeune fille lui fit cette demande : « Je veux que tout de suite tu me donnes sur un plat la tête de Jean-Baptiste. » ²⁶ Le roi fut très contristé, mais à cause de ses serments et des convives, il ne voulut pas lui manquer de parole. ²⁷ Et aussitôt le roi envoya un garde en lui ordonnant d'apporter la tête de Jean. ²⁸ Le garde s'en alla et le décapita dans la prison; puis il apporta sa tête sur un plat et la donna à la jeune fille, et la jeune fille la donna à sa mère. ²⁹ Les disciples de Jean, l'ayant appris, vinrent prendre son corps et le mirent dans un tombeau.

|| Mt **14** 13-21
|| Lc **9** 10-17
|| Jn **6** 1-13

Première multiplication des pains.

³⁰ Les apôtres se réunirent auprès de Jésus et ils lui rapportèrent tout ce qu'ils avaient fait et tout ce qu'ils avaient enseigné. ³¹ Alors il leur dit : « Venez vous-mêmes à l'écart, dans un lieu désert, et reposez-vous un peu. » De fait, les arrivants et les partants ᵃ étaient si nombreux que les apôtres n'avaient pas même le temps de manger. ³² Ils partirent donc dans la barque vers un lieu désert, à l'écart. ³³ Les voyant s'éloigner, beaucoup comprirent, et de toutes les villes on accourut là-bas, à pied, et on les devança ᵇ. ³⁴ En débarquant, il vit une grande foule et il en eut pitié, parce qu'ils étaient comme des brebis qui n'ont pas de berger, et il se mit à les instruire longuement. ³⁵ L'heure était déjà très avancée, quand ses disciples s'approchèrent et lui

---

a) Il s'agit de la foule des visiteurs qui se pressaient auprès de Jésus.

b) La chose n'est pas impossible si le lieu de rencontre se place sur la rive occidentale, vers le sud. Voir les notes sur Matthieu. Le récit de Luc, qui ne connaît qu'une multiplication des pains, met en œuvre une composition littéraire qu'il faut interpréter pour elle-même.

dirent : « L'endroit est désert et l'heure est déjà très avancée; [36] renvoie-les afin qu'ils aillent dans les fermes et les villages d'alentour s'acheter de quoi manger. » [37] Il leur répondit : « Donnez-leur vous-mêmes à manger. » Ils lui disent : « Faudra-t-il que nous allions acheter des pains pour deux cents deniers[a], afin de leur donner à manger ? » [38] Il reprend : « Combien de pains avez-vous ? Allez voir. » S'en étant informés, ils disent : « Cinq, et deux poissons. » [39] Alors il leur ordonna de les faire tous s'étendre par groupes de convives sur l'herbe verte[b]. [40] Et ils s'allongèrent à terre par carrés de cent et de cinquante. [41] Jésus prit alors les cinq pains et les deux poissons et, levant les yeux au ciel, il dit la bénédiction, rompit les pains, et il les donnait à ses disciples pour les distribuer[c]. Il partagea aussi les deux poissons entre tous. [42] Tous mangèrent à satiété; [43] et l'on ramassa douze couffins pleins de morceaux de pain et de restes des poissons. [44] Or ceux qui avaient mangé les pains étaient au nombre de cinq mille hommes.

Jésus marche sur les eaux.

[45] Et aussitôt il obligea ses disciples à remonter dans la barque et à prendre les devants vers Bethsaïde[d], pendant que lui-même renverrait la foule. [46] Après l'avoir

|| Mt **14** 22-33
|| Jn **6** 16-21

---

45. *Après « Bethsaïde » la masse ajoute « de l'autre côté », par harmonisation avec Mt **14** 22; omis par* P[45] *W fam.* 1 *Syrsin Géo.*

a) Le denier était le prix d'une journée de travail (Mt **20** 2), 1 franc-or environ.

b) Ce trait indique en Palestine une saison déterminée, le printemps, ce qui concorde avec la proximité de la Pâque (Jn **6** 4).

c) La solennité du geste et la forme même de l'expression évoquent intentionnellement l'Eucharistie, que cette multiplication miraculeuse du pain préfigure.

d) Bethsaïde Julias, au nord du lac et à l'est du Jourdain, non loin de l'endroit où il débouche dans le lac.

congédiée, il s'en alla sur la montagne pour prier. [47] Le soir venu, la barque était au milieu de la mer, et lui, seul, à terre. [48] Les voyant s'épuiser à ramer, car le vent leur était contraire, vers la quatrième veille de la nuit[a] il vient vers eux en marchant sur la mer, et il allait les dépasser. [49] Ceux-ci, le voyant marcher sur la mer, crurent que c'était un fantôme et poussèrent des cris, [50] car tous l'avaient vu et avaient été troublés. Mais lui aussitôt leur parla et leur dit : « Rassurez-vous, c'est moi, n'ayez pas peur. » [51] Puis il monta auprès d'eux dans la barque et le vent tomba. Et ils étaient intérieurement au comble de la stupeur, [52] car ils n'avaient pas compris le miracle des pains, mais leur esprit était fermé.

‖ Mt **14** 34-36

Guérisons au pays de Gennésareth.

[53] Ayant achevé la traversée, ils touchèrent terre à Gennésareth[b] et accostèrent. [54] Quand ils furent sortis de la barque, aussitôt des gens qui l'avaient reconnu [55] parcoururent toute cette région et se mirent à lui apporter les malades sur leurs grabats, là où l'on apprenait qu'il était. [56] Et en tout lieu où il pénétrait, villages, villes ou fermes, on mettait les malades sur les places et on le priait de les laisser toucher ne fût-ce que la frange de son manteau, et tous ceux qui le touchaient étaient guéris.

‖ Mt **15** 1-9

Discussion sur les traditions pharisaïques.

7. [1] Les Pharisiens et quelques scribes venus de Jérusalem se rassemblent auprès de lui, [2] et voyant quelques-uns de ses disciples prendre leur repas avec des mains impures, c'est-à-dire

---

a) Entre trois heures et six heures du matin.
b) Nom d'une plaine et probablement d'un village, au sud et à peu de distance de Capharnaüm.

non lavées, — ³ les Pharisiens, en effet, et le commun des Juifs ne mangent pas sans s'être lavé les bras jusqu'au coude*ᵃ*, conformément à la tradition des anciens, ⁴ et ils ne mangent pas au retour de la place publique avant de s'être aspergés d'eau*ᵇ*, et il y a beaucoup d'autres pratiques qu'ils observent par tradition : lavages de coupes, de cruches et de plats d'airain, — ⁵ donc les Pharisiens et les scribes lui demandent : « Pourquoi tes disciples ne se comportent-ils pas suivant la tradition des anciens*ᶜ*, mais prennent-ils leur repas avec des mains impures ? » ⁶ Il leur répondit : « Isaïe a joliment bien prophétisé de vous, hypocrites, dans ce passage de l'Écriture :

Ce peuple m'honore des lèvres,
mais leur cœur est loin de moi.

⁷ *Vain est le culte qu'ils me rendent,*
les doctrines qu'ils enseignent ne sont que préceptes humains.

⁸ Vous mettez de côté le commandement de Dieu pour vous attacher à la tradition des hommes. » ⁹ Et il leur disait : « Vous annulez bel et bien le commandement de Dieu pour observer votre tradition. ¹⁰ En effet, Moïse a dit : *Rends tes devoirs à ton père et à ta mère*, et : *Que celui qui maudit son père ou sa mère, soit puni de mort.* ¹¹ Mais vous, vous dites : Si quelqu'un dit à son père ou à sa mère : Je

Is **29** 13

Ex **20** 12 ; **21** 17 Dt **5** 16 Lv **20** 9

---

7 4. « *avant de s'être aspergés d'eau* » B S *quelques minusc.*; « *avant de s'être baignés* » *la masse.*

---

a) Litt. « avec le poing » (πυγμῇ). Les uns interprètent « vigoureusement, soigneusement »; d'autres, avec les commentateurs grecs Théophylacte et Euthymius, voient dans πυγμῇ une mesure de longueur : « du bout des doigts jusqu'au coude »; d'autres : « jusqu'au poignet ».

b) On traduit aussi : « ils ne mangent pas ce qui vient du marché avant de l'avoir aspergé ».

c) La tradition des anciens comprend ces préceptes et pratiques que les rabbins avaient introduits dans la vie religieuse des Juifs et superposés à la Loi de Moïse.

déclare corban[a] (c'est-à-dire offrande sacrée) les biens dont j'aurais pu t'assister, 12 vous ne le laissez plus rien faire pour son père ou pour sa mère 13 et vous annulez ainsi la parole de Dieu par la tradition que vous vous êtes transmise. Et vous faites bien d'autres choses du même genre. »

‖ Mt **15** 10-20

**Enseignement
sur le pur et l'impur.**

14 Ayant appelé de nouveau la foule il leur disait : « Écoutez-moi tous et comprenez-moi bien ! 15 Il n'est rien d'extérieur à l'homme qui, pénétrant en lui, puisse le rendre impur, mais ce qui sort de l'homme, voilà ce qui rend l'homme impur. 16 Si quelqu'un a des oreilles pour entendre, qu'il entende ! »

17 Quand il fut rentré dans la maison, à l'écart de la foule, ses disciples l'interrogèrent sur la parabole[b]. 18 Et il leur dit : « Vous aussi, vous êtes à ce point sans intelligence ? Ne comprenez-vous pas que rien de ce qui pénètre du dehors dans l'homme ne peut le rendre impur, 19 parce que cela ne pénètre pas dans le cœur, mais dans le ventre, puis s'en va aux lieux d'aisance » (ainsi il déclarait purs tous les aliments)[c]. 20 Il reprit : « Ce qui sort de

---

16. *Omis par B S L Bo Géo.*

---

a) Corban, mot araméen qui signifie offrande et spécialement offrande faite à Dieu. D'après la casuistique des rabbins, un objet déclaré *corban* était censé voué à Dieu, par conséquent soustrait au service du prochain, sans que d'ailleurs on fût obligé de le donner réellement au Temple.

b) Parabole au sens du *mashal* hébraïque, qui peut n'être qu'une sentence lapidaire et énigmatique.

c) Litt. « purifiant tous les aliments »; membre de phrase obscur, peut-être glose, qui a été diversement interprété. Le rapporter à ce qui précède immédiatement, « lieux d'aisance », fait difficulté au point de vue du sens comme de la grammaire.

l'homme, voilà ce qui rend l'homme impur. ²¹ Car c'est
du dedans, du cœur des hommes, que sortent les desseins
pervers : débauches, vols, meurtres, ²² adultères, cupi-
dités, méchancetés, ruse, impudicité, envie, diffamation,
orgueil, déraison. ²³ Toutes ces mauvaises choses sortent
du dedans et rendent l'homme impur. »

III

VOYAGES DE JÉSUS HORS DE LA GALILÉE

Guérison de la fille
d'une Syrophénicienne.
²⁴ Partant de là, il s'en ‖ Mt **15** 21-28
alla au pays de Tyr. Étant
entré dans une maison, il
ne voulait pas que personne
le sût, mais il ne put rester ignoré. ²⁵ Car aussitôt une
femme, dont la petite fille était possédée d'un esprit impur,
entendit parler de lui et vint se jeter à ses pieds. ²⁶ Cette
femme était païenne, syrophénicienne de naissance, et elle
lui demandait d'expulser le démon hors de sa fille. ²⁷ Il lui
répondit : « Laisse d'abord les enfants se rassasier, car il
ne sied pas de prendre le pain des enfants pour le jeter aux
petits chiens. » ²⁸ Mais elle de répliquer et de lui dire : « De
grâce, Seigneur ! même les petits chiens sous la table
mangent les miettes des enfants. » ²⁹ Alors il lui dit : « A
cause de cette parole, va, le démon est sorti de ta fille. »
³⁰ Elle retourna chez elle et trouva l'enfant étendue sur
son lit et le démon parti.

---

24. « *au pays de Tyr* » L W D Θ *VetLat Syrsin ; add.* « *et de Sidon* » *la
masse, cf. Mt* **15** 21.

**Guérison
d'un sourd-bègue.**

³¹ S'en retournant du pays de Tyr, il vint par Sidon vers la mer de Galilée, en plein territoire de la Décapole*[a]*. ³² Et on lui amène un sourd, qui de plus parlait difficilement, et on le prie de lui imposer la main. ³³ Le prenant hors de la foule, à part, il lui mit ses doigts dans les oreilles et avec sa salive lui toucha la langue. ³⁴ Puis, levant les yeux au ciel, il poussa un gémissement et lui dit : « *Ephphatha* », c'est-à-dire : « Ouvre-toi ! » ³⁵ Et aussitôt ses oreilles s'ouvrirent et le lien de sa langue se dénoua et il parlait correctement. ³⁶ Et Jésus leur recommanda de ne dire la chose à personne; mais plus il le leur recommandait, de plus belle ils la proclamaient. ³⁷ Au comble de l'admiration, ils disaient : « Il a bien fait toutes choses : il fait entendre les sourds et parler les muets. »

‖ Mt **15** 32-39

**Seconde multiplication
des pains.**

8. ¹ En ces jours-là, comme il y avait de nouveau une grande foule et qu'ils n'avaient pas de quoi manger, il appela ses disciples et leur dit : ² « J'ai pitié de cette foule, car voilà déjà trois jours qu'ils restent auprès de moi et ils n'ont pas de quoi manger. ³ Si je les renvoie à jeun chez eux, ils vont défaillir en route, et il y en a parmi eux qui sont venus de loin. » ⁴ Ses disciples lui répondirent : « Où prendre de quoi rassasier de pains ces gens, ici, dans un désert ? » ⁵ Et il leur demanda : « Com-

---

35. « *aussitôt* » *omis par* B D *quelques minusc.* VetLat.

---

a) Plus qu'un territoire bien délimité, la Décapole (voir déjà **5** 20) était un groupement de villes libres disséminées à l'est et au nord-est du Jourdain jusqu'à inclure Damas. Il faut donc entendre ici que Jésus revient de Phénicie à la rive est du lac de Tibériade en contournant la Galilée par le nord.

bien avez-vous de pains ? » — « Sept », dirent-ils. 6 Et il ordonne à la foule de s'étendre à terre; et, prenant les sept pains, il rendit grâces, les rompit et il les donnait à ses disciples pour les distribuer, et ils les distribuèrent à la foule. 7 Ils avaient encore quelques petits poissons; après les avoir bénis, il dit de les distribuer aussi. 8 Et ils mangèrent à satiété et l'on ramassa les restes des morceaux : sept corbeilles ! 9 Or ils étaient environ quatre mille. Et il les renvoya; 10 et aussitôt montant dans la barque avec ses disciples, il vint dans la région de Dalmanoutha*a*.

Les Pharisiens demandent un signe dans le ciel.

11 Les Pharisiens survinrent et se mirent à discuter avec lui; ils réclamaient de lui un signe venant du ciel, pour le mettre à l'épreuve. ‖ Mt **16** 1-4

12 Gémissant du fond de l'âme, il dit : « Qu'a cette génération à demander un signe ? En vérité, je vous le dis, il ne sera pas donné de signe à cette génération. » 13 Et les laissant là, il se rembarqua pour l'autre rive.

Le levain des Pharisiens et d'Hérode.

14 Les disciples avaient oublié de prendre des pains et ils n'avaient qu'un pain avec eux dans la barque, ‖ Mt **16** 5-12

15 lorsqu'il leur fit cette recommandation : « Ouvrez l'œil et gardez-vous du levain des Pharisiens et du levain d'Hérode*b*. » 16 Et eux de faire entre eux cette réflexion : qu'ils n'avaient pas de pains. 17 Lui, qui s'en aperçut,

---

a) D'après le contexte, cette région de Dalmanoutha est sur la rive ouest du lac, mais la localité de Dalmanoutha (Magedan, dans Mt **15** 39) est inconnue. On a proposé d'y voir l'équivalent araméen de « de sa demeure », ce qui donnerait : « Jésus vint dans la région de sa demeure », celle où il se tenait habituellement, Capharnaüm et ses environs.

b) Le levain est ici le symbole d'un vice corrupteur, hypocrisie chez les Pharisiens, ruse et ambition chez Hérode.

leur dit : « Pourquoi faire cette réflexion que vous n'avez pas de pains ? Vous ne comprenez pas encore et vous ne saisissez pas ? Avez-vous donc l'esprit bouché, [18] *des yeux pour ne point voir et des oreilles pour ne point entendre ?* Et ne vous rappelez-vous pas, [19] quand j'ai rompu les cinq pains pour les cinq mille hommes, combien de couffins pleins de morceaux vous avez ramassés ? » Ils lui répondent : « Douze. » — [20] « Et quand j'ai rompu les sept pains pour les quatre mille hommes, combien de corbeilles pleines de morceaux avez-vous ramassées ? » Et ils disent : « Sept. » [21] Alors il leur dit : « Ne comprenez-vous pas encore[a] ? »

Jr **5** 21
Ez **12** 2

Guérison d'un aveugle à Bethsaïde.

[22] Ils arrivent à Bethsaïde et on lui amène un aveugle, en le priant de le toucher. [23] Prenant l'aveugle par la main, il le conduisit hors du bourg. Après lui avoir craché sur les yeux et lui avoir imposé les mains, il lui demandait : « Vois-tu quelque chose ? » [24] Et l'autre, qui commençait à voir[b], de répondre : « J'aperçois les gens, c'est comme si c'était des arbres que je les vois marcher. » [25] Après cela, il mit de nouveau ses mains sur les yeux de l'aveugle, et celui-ci vit clair et fut guéri, et il voyait tout nettement, de loin. [26] Et Jésus le renvoya chez lui, en lui disant : « N'entre même pas dans le bourg. »

|| Mt **16** 13-20
|| Lc **9** 18-21

Profession de foi de Pierre.

[27] Jésus s'en alla avec ses disciples vers les bourgs dépendant de Césarée de Philippe[c], et en chemin il posa à

---

a) C'est une invitation aux disciples à dépasser leurs préoccupations matérielles pour réfléchir à la mission éternelle de Jésus, éclairée par ses miracles.

b) On traduit aussi : « levant les yeux ».

c) Primitivement Panéas ou Panias (aujourd'hui Banias), au pied de

ses disciples cette question : « Qui suis-je, au dire des gens ? » [28] Ils lui dirent : « Jean-Baptiste; pour d'autres, Élie; pour d'autres, quelqu'un des prophètes. » — [29] « Mais pour vous, leur demanda-t-il, qui suis-je ? » Prenant alors la parole, Pierre lui répond : « Tu es le Christ. » [30] Alors il leur enjoignit sévèrement de ne parler de lui à personne[a].

Première annonce de la Passion.

[31] Et il commença de leur enseigner que le Fils de l'homme devait beaucoup souffrir, être rejeté par les anciens, les grands prêtres et les scribes, être mis à mort et, après trois jours, ressusciter; [32] et c'est ouvertement qu'il disait ces choses. Alors Pierre, le tirant à lui, se mit à le morigéner. [33] Mais lui, se retournant et voyant ses disciples, admonesta Pierre et lui dit : « Passe derrière moi, Satan[b] ! car tes pensées[c] ne sont pas celles de Dieu, mais celles des hommes. »

|| Mt **16** 21-23
|| Lc **9** 22

Conditions pour suivre Jésus.

[34] Appelant la foule en même temps que ses disciples, il leur dit : « Si quelqu'un veut venir à ma suite, qu'il se renie lui-même, qu'il se charge de sa croix et qu'il me suive. [35] Qui veut en effet sauver sa vie[d] la perdra, mais celui qui perd sa vie à cause de moi et de l'Évangile la sauvera. [36] Que sert donc à l'homme de gagner le monde entier, s'il ruine sa propre vie ? [37] Et que peut donner

|| Mt **16** 24-28
|| Lc **9** 23-27

l'Hermon. Le tétrarque Philippe l'ayant rebâtie la nomma Césarée en l'honneur de l'empereur Auguste.

a) Voir **1** 34 et la note.

b) Pierre est ainsi interpellé, parce qu'il joue le rôle de l'adversaire, du tentateur.

c) « Tes pensées », c'est-à-dire l'idée que tu te fais de la mission du Messie.

d) Le grec ψυχή, équivalent ici de l'hébreu *néphesh,* combine les trois sens de vie, âme, personne,

l'homme en échange de sa propre vie ? [38] Car celui qui aura rougi de moi et de mes paroles dans cette génération adultère et pécheresse, le Fils de l'homme, à son tour, rougira de lui, quand il viendra dans la gloire de son Père avec les saints anges. »

9. [1] Et il leur disait : « En vérité je vous le dis, il en est d'ici présents qui ne goûteront pas la mort avant d'avoir vu le Royaume de Dieu venu avec puissance[a]. »

|| Mt **17** 1-8
|| Lc **9** 28-36

La Transfiguration[b].

[2] Six jours après, Jésus prend avec lui Pierre, Jacques et Jean et les emmène seuls, à l'écart, sur une haute montagne[c]. Et il fut transfiguré devant eux [3] et ses vêtements devinrent resplendissants, d'une telle blancheur qu'aucun foulon sur terre ne peut blanchir de la sorte. [4] Élie leur apparut avec Moïse et tous deux s'entretenaient avec Jésus. [5] Alors Pierre, prenant la parole, dit à Jésus : « Rabbi, il est heureux que nous soyons ici[d] ; faisons donc trois tentes, une pour toi, une pour Moïse et une pour Élie. » [6] C'est qu'il ne savait

---

a) Cette parole a été rapportée par les Synoptiques avec des nuances différentes de rédaction. A la prendre dans le texte de Marc, on l'entendra, non de la Transfiguration qui va suivre, comme ont pensé d'anciens interprètes, mais de l'établissement certain et prochain du Royaume ici-bas, de l'Église, par la force de Dieu.

b) Alors que Mt fait de la Transfiguration une proclamation de Jésus nouveau Moïse (cf. la note sur Mt **17** 1) et que Lc y insiste sur la préparation de la Passion prochaine (Lc **9** 30), Mc y voit surtout une épiphanie glorieuse du Messie caché, conformément au thème dominant de son évangile (Introd., pp. 17 s) : pour éphémère qu'elle soit, cette scène de gloire manifeste ce qu'est réellement et ce que sera bientôt définitivement Celui qui doit connaître pour un temps les abaissements du Serviteur souffrant.

c) Une tradition qui remonte au moins au IVe siècle (Cyrille de Jérusalem, Jérôme) identifie cette montagne avec le Tabor, sommet galiléen à 562 mètres au-dessus de la Méditerranée.

d) On traduit aussi : « Il nous est bon d'être ici », nous nous y trouvons bien.

que dire, car ils étaient saisis de frayeur. [7] Et une nuée
survint qui les prit sous son ombre, et de la nuée sortit
une voix : « Celui-ci est mon Fils bien-aimé; écoutez-le. »
[8] Soudain, regardant autour d'eux, ils ne virent plus personne, que Jésus seul avec eux.

**Question
au sujet d'Élie.**

[9] Comme ils descendaient
de la montagne, il leur défen-
dit de raconter à personne
ce qu'ils avaient vu, si ce
n'est quand le Fils de l'homme serait ressuscité d'entre
les morts. [10] Ils gardèrent la recommandation, tout en se
demandant entre eux ce que signifiait « ressusciter d'entre
les morts ». [11] Et ils lui posèrent cette question : « Pourquoi les scribes disent-ils qu'Élie doit venir d'abord ? »
[12] Il leur dit : « Oui, Élie doit venir d'abord et tout remettre en ordre; et cependant, comment est-il écrit du Fils
de l'homme qu'il doit beaucoup souffrir et être méprisé ?
[13] Eh bien ! que je vous le dise : Élie est déjà venu et ils
l'ont traité à leur guise, comme il est écrit de lui[a]. »

|| Mt **17** 9-13

**Le démoniaque
épileptique.**

[14] En rejoignant les disciples, ils virent une foule
nombreuse qui les entourait
et des scribes qui discutaient
avec eux. [15] Et aussitôt qu'elle l'aperçut, toute la foule
fut stupéfaite et elle accourut pour le saluer. [16] Et il leur
demanda : « De quoi disputez-vous avec eux ? » [17] Quelqu'un de la foule lui dit : « Maître, je t'ai amené mon fils

|| Mt **17** 14-21
|| Lc **9** 37-42

---

9 14. « *ils virent* » T. *Alex W* k (*cod. Bobbiensis de la version africaine*) *Syrsin
Sa Arm* ; « *il vit* » *la masse.*

---

a) Cet Élie qui est déjà venu, c'est Jean-Baptiste le précurseur. Cf. Mt
17 13.

qui a un esprit muet[a]. ¹⁸ Quand il s'empare de lui, il le projette à terre et il écume, grince des dents et devient raide. Et j'ai demandé à tes disciples de l'expulser et ils n'en ont pas été capables. » — ¹⁹ « Engeance incrédule, leur répond-il, jusques à quand serai-je parmi vous ? Jusques à quand devrai-je vous supporter ? Amenez-le-moi. » ²⁰ Et ils le lui amenèrent. Sitôt qu'il vit Jésus, l'esprit secoua violemment l'enfant qui tomba à terre et il s'y roulait en écumant. ²¹ Et Jésus demanda au père : « Combien de temps y a-t-il que cela lui arrive ? » — « Depuis son enfance, répondit-il; ²² et souvent il l'a jeté soit dans le feu soit dans l'eau pour le faire périr. Mais si tu peux quelque chose, viens à notre aide, par pitié pour nous. » — ²³ « Si tu peux !... reprit Jésus; tout est possible à celui qui croit. » ²⁴ Aussitôt le père de l'enfant de s'écrier : « Je crois ! Viens en aide à mon peu de foi ! » ²⁵ Jésus, voyant les gens qui affluaient[b], menaça l'esprit impur en lui disant : « Esprit muet et sourd, je te l'ordonne, sors de lui et n'y rentre plus. » ²⁶ Après avoir poussé des cris et l'avoir violemment secoué, il sortit, et l'enfant devint comme mort, si bien que la plupart des gens disaient : « Il a trépassé ! » ²⁷ Mais Jésus, le prenant par la main, le releva et il se tint debout. ²⁸ Quand il fut rentré à la maison, ses disciples lui demandèrent en particulier : « Pourquoi nous autres, n'avons-nous pu l'expulser ? »

---

a) Les anciens attribuaient volontiers aux « esprits » des maladies dont la médecine moderne croit mieux connaître les causes naturelles. Jésus a pu parler selon cette opinion commune, qui contient d'ailleurs une vérité profonde : les maladies sont bien un des aspects de ce règne du Mal qui est un effet du Péché, et ultérieurement du Démon. Voir les notes sur Mt **8** 17; **9** 2; **10** 1; **12** 28.

b) Le verbe employé par Marc, et qui ne se rencontre que chez lui, paraît indiquer qu'un nouveau groupe vient se joindre à la foule déjà présente, à moins d'admettre, — ce que le texte ne dit pas, — que Jésus s'est retiré à l'écart avec l'enfant et son père.

²⁹ Il leur répondit : « Cette espèce-là ne peut sortir que par la prière. »

Deuxième annonce de la Passion.

³⁰ Partant de là, ils faisaient route à travers la Galilée et il ne voulait pas qu'on le sût. ³¹ Car il instruisait ses disciples et il leur disait : « Le Fils de l'homme va être livré aux mains des hommes et ils le tueront, et quand il aura été mis à mort, trois jours après il ressuscitera. » ³² Mais ils ne comprenaient pas cette parole et ils craignaient de l'interroger.

‖ Mt **17** 22-23
‖ Lc **9** 43-45

Qui est le plus grand ?

³³ Ils vinrent à Capharnaüm; et une fois à la maison, il leur demanda : « De quoi discutiez-vous en chemin ? » ³⁴ Eux se taisaient, car ils avaient discuté en chemin qui était le plus grand. ³⁵ Alors, s'étant assis, il appela les Douze, et leur dit : « Si quelqu'un veut être le premier, il se fera le dernier de tous et le serviteur de tous. » ³⁶ Puis, prenant un petit enfant, il le plaça au milieu d'eux et, l'ayant embrassé, il leur dit : ³⁷ « Quiconque accueille un de ces petits enfants à cause de mon Nom, c'est moi qu'il accueille; et quiconque m'accueille, ce n'est pas moi qu'il accueille, mais Celui qui m'a envoyé. »

‖ Mt **18** 1-5
‖ Lc **9** 46-48

= **10** 43-44 p

‖ Mt **10** 40

Usage du nom de Jésus.

³⁸ Jean lui dit : « Maître, nous avons vu quelqu'un expulser les démons en ton Nom, quelqu'un qui ne nous suit pas, et nous avons voulu l'en empêcher, parce qu'il ne nous suivait pas. » ³⁹ Mais Jésus dit : « Ne l'en empêchez pas, car il n'est personne qui puisse faire un miracle

‖ Lc **9** 49-50

---

29. « *par la prière* » B S k Géo ; *add.* « *et par le jeûne* » *la masse.*

en invoquant mon Nom et sitôt après parler mal de moi.

‖ Mt 12 30 p 40 Qui n'est pas contre nous est pour nous.

‖ Mt 10 42

Charité
envers les disciples.

41 « Quiconque vous donnera à boire un verre d'eau pour ce motif que vous êtes au Christ, en vérité, je vous le dis, il ne sera pas frustré de sa récompense.

‖ Mt 18 6-9
‖ Lc 17 1-2

Le scandale.

42 « Mais si quelqu'un doit scandaliser l'un de ces petits[a] qui croient, il serait mieux pour lui de se voir passer autour du cou une de ces meules que tournent les ânes et d'être jeté à la mer. 43 Et si ta main est pour toi une occasion de péché, coupe-la : mieux vaut pour toi entrer manchot dans la Vie[b] que de t'en aller avec tes deux mains dans la géhenne[c], dans le feu qui ne s'éteint pas. 45 Et si ton pied est pour toi une occasion de péché, coupe-le : mieux vaut pour toi entrer estropié dans la Vie que d'être jeté avec tes deux pieds dans la géhenne. 47 Et si ton œil est pour toi une occasion de péché, arrache-le : mieux vaut pour toi entrer borgne dans le Royaume de Dieu que d'être jeté Is 66 24 avec tes deux yeux dans la géhenne 48 où *leur ver ne meurt point* et où *le feu ne s'éteint point.* 49 Car tous seront salés par

---

42. « qui croient » *S C D VetLat Bo* ; *add.* « en moi » *la masse.*

44 *et* 46 *de Vulg reproduisent le v.* 48 ; *ils sont généralement omis par les éditions critiques.*

49. « *Car tous seront salés par le feu* » *B S L W quelques minusc. k Syrsin Bo Sa* ; « *Car toute victime sera salée avec du sel* » (*cf. Lv* 2 13) *D VetLat* ; *le reste de la tradition manuscrite, suivi par Vulg, combine les deux leçons.*

---

a) Non pas nécessairement un enfant, mais un simple; voir Mt 18 5 et la note.

b) La vie éternelle où s'épanouit le « Royaume de Dieu » (v. 47).

c) La géhenne (hébreu *Gè-Hinnom*), primitivement le nom d'une vallée de Jérusalem où l'on avait immolé des enfants au dieu phénicien Moloch, en les faisant passer par le feu; puis le mot avait désigné le lieu des supplices réservés aux méchants, l'enfer.

le feu[a]. ⁵⁰ C'est une bonne chose que le sel; mais si le sel ║ Mt **5** 13
devient insipide, avec quoi l'assaisonnerez-vous ? Ayez du ║ Lc **14** 34
sel en vous-mêmes et vivez en paix les uns avec les autres. »

10.   ¹ Partant de là, il ║ Mt **19** 1-9
Question sur le divorce.   vient dans la région de la
Judée et au delà du Jour-
dain, et de nouveau les foules se rassemblent auprès de
lui et, selon sa coutume, il se mit de nouveau à les instruire. ² S'approchant, des Pharisiens lui demandèrent :
« Est-il permis à un mari de répudier sa femme ? » C'était
pour le mettre à l'épreuve. ³ Il leur répondit : « Qu'est-ce
que Moïse vous a prescrit ? » — ⁴ « Moïse, dirent-ils, a
permis de rédiger un acte de divorce et de répudier. »
⁵ Alors Jésus leur répliqua : « C'est en raison de votre
caractère intraitable qu'il a écrit pour vous cette prescription. ⁶ Mais à l'origine de la création *Dieu les fit homme et* ║ Gn **1** 27
femme. ⁷ *Ainsi donc l'homme quittera son père et sa mère,* ⁸ *et* ║ Gn **2** 24
les deux ne feront qu'une seule chair. Ainsi ils ne sont plus
deux, mais une seule chair. ⁹ Eh bien ! ce que Dieu a uni,
l'homme ne doit point le séparer. » ¹⁰ Rentrés à la maison,
les disciples l'interrogèrent de nouveau sur ce point. ¹¹ Et
il leur dit : « Quiconque répudie sa femme et en épouse ║ Mt **5** 32
une autre, commet un adultère à l'égard de la première; ║ Lc **16** 18
¹² et si une femme répudie son mari et en épouse un autre,
elle commet un adultère. »

---

10 7. *Après « son père et sa mère », la masse ajoute « pour s'attacher à sa femme »;
mais ces mots, omis par S B Syrsin, sont suspects d'avoir été ajoutés pour compléter
la citation d'après Gn* **2** 24 *et Mt* **19** 5.

---

a) Le feu qui sale a été entendu soit du châtiment qui punit les pécheurs
en les conservant, soit, pour de meilleures raisons, du feu qui purifie les
fidèles (épreuve, jugement de Dieu) pour en faire des victimes agréables
à Dieu. Le v. 50 semble avoir été amené par le simple rapprochement du
mot « sel » : ici, le sel est l'esprit du Christ que les chrétiens doivent gar-
der en eux-mêmes pour en assaisonner leurs rapports mutuels.

||Mt **19** 13-15
||Lc **18** 15-17

**Jésus
et les petits enfants.**

¹³ On lui présentait des petits enfants pour qu'il les touchât, mais les disciples les rabrouèrent. ¹⁴ Ce que voyant, Jésus se fâcha et leur dit : « Laissez venir à moi les petits enfants; ne les empêchez pas, car c'est à leurs pareils qu'appartient le Royaume de Dieu. ¹⁵ En vérité je vous le dis, quiconque n'accueille pas le Royaume de Dieu en petit enfant, n'y entrera pas. » ¹⁶ Puis il les embrassa et les bénit en leur imposant les mains.

||Mt **19** 16-22
||Lc **18** 18-23

L'homme riche.

¹⁷ Il se mettait en route quand un homme accourut et, fléchissant devant lui le genou, lui demanda : « Bon maître, que dois-je faire pour avoir en partage la vie éternelle ? » ¹⁸ Jésus lui dit : « Pourquoi m'appelles-tu bon ? Nul n'est bon que Dieu seul.

Ex **20** 12-16
Dt **5** 16-20
Dt **24** 16

¹⁹ Tu connais les commandements : *Ne tue pas, ne commets pas d'adultère, ne vole pas, ne porte pas de faux témoignage*, ne fais pas de tort, *honore ton père et ta mère*. » ²⁰ L'homme lui répondit : « Maître, tout cela, je l'ai gardé dès ma jeunesse. » ²¹ Alors Jésus fixa sur lui son regard et l'aima. Et il lui dit : « Une seule chose te manque : va, vends ce que tu as, donne-le aux pauvres, et tu auras un trésor au ciel; puis, viens, suis-moi. » ²² Mais lui, à ces mots, s'assombrit et il s'en alla contristé, car il avait de grands biens.

||Mt **19** 23-26
||Lc **18** 24-27

**Le danger
des richesses.**

²³ Alors Jésus, regardant autour de lui, dit à ses disciples : « Comme il sera difficile à ceux qui ont des richesses d'entrer dans le Royaume de Dieu ! » ²⁴ Les disciples étaient stupéfaits de ces paroles*a*. Mais Jésus reprit et

---

a) On comprend l'étonnement des disciples si l'on se rappelle que pour

leur dit : « Mes enfants, comme il est difficile d'entrer dans le Royaume de Dieu ! ²⁵ Il est plus facile à un chameau de passer par le trou de l'aiguille qu'à un riche d'entrer dans le Royaume de Dieu ! » ²⁶ Ils restèrent interdits à l'excès et se demandaient les uns aux autres : « Mais alors qui peut être sauvé ? » ²⁷ Jésus, fixant sur eux son regard, leur dit : « Pour les hommes, impossible, mais non pour Dieu : car tout est possible pour Dieu. »

Récompense promise au détachement.

²⁸ Pierre se mit à lui dire : « Eh bien ! nous, nous avons tout quitté et nous t'avons suivi. » ²⁹ Jésus déclara : « En vérité, je vous le dis, nul n'aura quitté maison, frères, sœurs, mère, père, enfants ou champs à cause de moi et à cause de la Bonne Nouvelle, ³⁰ qui ne reçoive le centuple dès maintenant, au temps présent, en maisons, frères, sœurs, mères, enfants et champs, avec des persécutions, et, dans le temps à venir, la vie éternelle. ³¹ Et beaucoup de premiers seront derniers et les derniers seront premiers. »

|| Mt **19** 27-30
|| Lc **18** 28-30

Troisième annonce de la Passion.

³² Ils étaient en route, montant à Jérusalem; et Jésus marchait devant eux, et ils étaient dans la stupeur, et ceux qui suivaient étaient effrayés[a]. Prenant de nouveau les Douze auprès de lui, il se mit à leur dire ce qui allait lui arriver : ³³ « Voici que nous montons à Jérusalem, et le Fils de l'homme va être livré aux grands prêtres et aux

|| Mt **20** 17-19
|| Lc **18** 31-33

le commun des Juifs richesses et prospérité temporelle passaient pour des signes de la bénédiction divine.

a) En plus des disciples, il y avait un autre groupe qui accompagnait Jésus (**10** 1, 46).

scribes ; ils le condamneront à mort et le livreront aux païens, ³⁴ ils le bafoueront, cracheront sur lui, le flagelleront et le mettront à mort, et trois jours après il ressuscitera. »

|| Mt **20** 20-23

La demande des fils de Zébédée.

³⁵ Jacques et Jean, les fils de Zébédée, s'approchent de lui et lui disent : « Maître, nous voulons que tu fasses pour nous ce que nous allons te demander. » ³⁶ Il leur répondit : « Que voulez-vous que je fasse pour vous ? » — ³⁷ « Accorde-nous, lui dirent-ils, de siéger, l'un à ta droite et l'autre à ta gauche, dans ta gloire[a]. » ³⁸ Jésus leur dit : « Vous ne savez pas ce que vous demandez. Pouvez-vous boire la coupe que je dois boire et être baptisés du baptême dont je dois être baptisé[b] ? » ³⁹ Ils lui répondirent : « Nous le pouvons. » Jésus leur dit : « La coupe que je dois boire, vous la boirez, et le baptême dont je dois être baptisé, vous en serez baptisés[c] ; ⁴⁰ quant à siéger à ma droite ou à ma gauche, il ne m'appartient pas de l'accorder : c'est pour ceux à qui cela a été destiné[d]. »

|| Mt **20** 24-28
|| Lc **22** 24-27

Les chefs doivent servir.

⁴¹ Les dix autres, qui avaient entendu, se mirent à s'indigner contre Jacques et Jean. ⁴² Les ayant appelés

---

a) « Dans ta gloire » : quand tu triompheras comme Roi messianique.

b) Comme la coupe à boire (cf. **14** 36), le baptême à recevoir est une image de la Passion prochaine ; selon la force première du terme grec « baptiser », Jésus sera « plongé » dans un abîme de souffrances.

c) Jacques et Jean furent en effet associés aux souffrances du Maître. Nous savons même de Jacques qu'il fut le premier apôtre à subir le martyre (Ac **12** 2).

d) C'est l'œuvre du Père, dans ses décrets éternels, non celle du Messie sur terre, dont la mission n'est pas de déterminer la volonté divine, mais de l'exécuter.

près de lui, Jésus leur dit : « Vous savez que ceux qu'on regarde comme les chefs des nations leur commandent en maîtres et que les grands leur font sentir leur pouvoir. ⁴³ Il ne doit pas en être ainsi parmi vous : au contraire, celui qui voudra devenir grand parmi vous, se fera votre serviteur, ⁴⁴ et celui qui voudra être le premier parmi vous, se fera l'esclave de tous. ⁴⁵ Aussi bien, le Fils de l'homme lui-même n'est pas venu pour être servi, mais pour servir et donner sa vie en rançon pour une multitude. »

⁴⁶ Ils arrivent à Jéricho. ‖ Mt **20** 29-34
‖ Lc **18** 35-43

L'aveugle de la sortie de Jéricho.

Et comme il sortait de Jéricho avec ses disciples et une foule nombreuse, le fils de Timée (Bartimée[a]), un mendiant aveugle, était assis au bord du chemin. ⁴⁷ Quand il apprit que c'était Jésus le Nazarénien, il se mit à crier : « Fils de David, Jésus, aie pitié de moi ! » ⁴⁸ Et beaucoup le rabrouaient pour lui imposer silence, mais lui criait de plus belle : « Fils de David, aie pitié de moi ! » ⁴⁹ Jésus s'arrêta et dit : « Appelez-le. » On appelle l'aveugle en lui disant : « Courage ! lève-toi, il t'appelle. » ⁵⁰ Et lui, rejetant son manteau, bondit et vint à Jésus. ⁵¹ Alors Jésus lui adressa la parole : « Que veux-tu que je fasse pour toi ? » L'aveugle lui répondit : « Rabbouni[b], que je voie ! » ⁵² Jésus lui dit : « Va, ta foi t'a sauvé. » Et aussitôt il recouvra la vue et il cheminait à sa suite.

---

a) Bartimée, équivalent araméen (*bar* = fils) de « fils de Timée ».

b) Araméen *Rabbouni* ou *Rabbounei,* « mon maître », ou simplement « maître », la valeur du suffixe s'étant estompée.

IV

LE MINISTÈRE DE JÉSUS A JÉRUSALEM

|| Mt **21** 1-11
|| Lc **19** 28-38
|| Jn **12** 12-16

**Entrée messianique
à Jérusalem** *a*.

11. ¹ Quand ils approchent de Jérusalem, en vue de Bethphagé *b* et de Béthanie, près du mont des Oliviers, il envoie deux de ses disciples, ² en leur disant : « Allez au village qui est en face de vous, et aussitôt, en y entrant, vous trouverez, à l'attache, un ânon que personne au monde n'a encore monté. Détachez-le et amenez-le. ³ Et si l'on vous dit : Que faites-vous là ? répondez : Le Seigneur en a besoin et aussitôt il va le renvoyer ici. » ⁴ Ils partirent et trouvèrent un ânon à l'attache près d'une porte, dehors, sur la rue, et ils le détachent. ⁵ Quelques-uns de ceux qui se tenaient là, leur dirent : « Qu'avez-vous à détacher cet ânon ? » ⁶ Ils répondirent comme Jésus leur avait dit, et on les laissa faire. ⁷ Ils amènent l'ânon à Jésus et ils mettent sur lui leurs manteaux et il s'assit dessus. ⁸ Et beaucoup de gens étendirent leurs manteaux sur le chemin; d'autres, des jonchées de verdure qu'ils coupaient dans les champs. ⁹ Et ceux qui marchaient devant

Ps **118** 25-26 et ceux qui suivaient criaient : « *Hosanna* *c* ! *Béni soit celui*

---

a) Par ce modeste triomphe, Jésus a voulu réaliser un oracle prophétique et montrer le caractère doux et pacifique de son messianisme, ainsi que l'explique Mt **21** 4 s en citant Za **9** 9.

b) Litt. « à Bethphagé ». Il semble, en fait, comme le précise Lc **19** 29, que Jésus était seulement proche de ce village, où il va envoyer ses disciples (v. 2). Bethphagé est nommé avant Béthanie, parce que la route romaine qui montait alors de Jéricho atteignait ces deux villages dans cet ordre.

c) Transcription approximative d'une expression hébraïque : « Sauve

qui vient au nom du Seigneur ! ¹⁰ Béni soit le Royaume qui vient, de notre père David ! *Hosanna* au plus haut des cieux ! » ¹¹ Il entra à Jérusalem dans le Temple et après avoir tout regardé autour de lui, comme il était déjà tard, il sortit pour aller à Béthanie avec les Douze.

Le figuier stérile.   ¹² Le lendemain, comme ils sortaient de Béthanie, il eut faim. ¹³ Apercevant de loin un figuier qui avait des feuilles, il alla voir s'il y trouverait quelque fruit, mais s'en étant approché, il ne trouva rien que des feuilles : car ce n'était pas la saison des figues. ¹⁴ S'adressant au figuier, il lui dit : « Que jamais plus personne ne mange de tes fruits ! » Et ses disciples l'entendirent[a].

|| Mt **21** 18-19

¹⁵ Ils arrivent à Jérusalem. Étant entré dans le Temple, Jésus se mit à chasser les vendeurs et les acheteurs qui s'y trouvaient, et il culbuta les tables des changeurs et les sièges des marchands de colombes[b], ¹⁶ et il ne laissait personne transporter d'objet à travers le Temple. ¹⁷ Et il les instruisait et leur disait : « N'est-il pas écrit : *Ma maison sera appelée une maison de prière pour toutes les nations*[c] ? Et vous, vous en avez fait *un*

Les vendeurs chassés du Temple.

|| Mt **21** 12-17
|| Lc **19** 45-48
|| Jn **2** 14-16

Is **56** 7

---

donc ! » (cf. Ps **118** 25). Mais le sens primitif de l'invocation tendait à s'effacer et Hosanna était pris comme une acclamation, un « vivat », dans des formules comme « Hosanna au fils de David » (Mt **21** 9), « Hosanna au plus haut des cieux » (Mt **21** 9 ; Mt **11** 10).

a) Marc n'a pas expliqué le sens de cet épisode du figuier. Il faut y voir une représentation symbolique du châtiment réservé à Jérusalem, qui, plantée par le Seigneur, n'a pas donné de fruit.

b) Marchands et changeurs fournissaient aux pèlerins la monnaie et les victimes requises pour les offrandes au Temple. Cet usage légitime en soi donnait lieu à des abus que Jésus condamne.

c) Marc est le seul des Synoptiques à citer les derniers mots du texte d'Isaïe. Il le fait sans doute à dessein pour souligner le caractère universaliste du vrai culte dans l'ère messianique que Jésus inaugure.

Jr **7** 11 *repaire de brigands !* » ¹⁸ Cela vint aux oreilles des grands
prêtres et des scribes et ils cherchaient comment le faire
périr; car ils le craignaient, parce que tout le peuple était
ravi de son enseignement. ¹⁹ Le soir venu, il s'en allait
hors de la ville.

|| Mt **21** 20-22

Le figuier desséché.
Foi et prière.

²⁰ Repassant au matin, ils
virent le figuier desséché jusqu'à la racine. ²¹ Et Pierre,
se ressouvenant, dit à Jésus :
« Rabbi, regarde : le figuier que tu as maudit est desséché. » ²² En réponse, Jésus lui dit : « Ayez foi en Dieu.
²³ En vérité je vous le dis, si quelqu'un dit à cette montagne : ' Soulève-toi et jette-toi dans la mer ', et s'il
n'hésite pas dans son cœur, mais croit que ce qu'il dit va
arriver, cela lui sera accordé. ²⁴ C'est pourquoi je vous dis :
tout ce que vous demandez en priant, croyez que vous
l'avez déjà reçu, et cela vous sera accordé. ²⁵ Et quand
vous êtes debout en prière[a], si vous avez quelque chose
contre quelqu'un, pardonnez, afin que votre Père qui est
aux cieux vous pardonne aussi vos offenses. »

|| Mt **21** 23-27
|| Lc **20** 1-8

Question des Juifs
sur l'autorité de Jésus.

²⁷ Ils viennent de nou-
veau à Jérusalem. Et alors
que Jésus circule dans le
Temple, les grands prêtres,
les scribes et les anciens viennent à lui ²⁸ et lui disent :
« Par quelle autorité fais-tu cela[b] ? ou qui t'a donné cette
autorité pour le faire ? » ²⁹ Jésus leur répondit : « Je ne

---

11 26. *La masse ajoute ce v.* : « *Mais si vous ne pardonnez pas, votre Père qui est dans les cieux ne vous pardonnera pas non plus vos offenses* » : *assimilation à Mt* **6** 15; *omis par B S W quelques minusc. VetLat (k r l) Syrsin Sa.*

---

a) Les Juifs se tenaient ordinairement debout dans la prière.
b) A savoir que Jésus se mêle de l'administration intérieure du Temple, en expulsant vendeurs et acheteurs.

vous poserai qu'une question. Répondez-moi et je vous dirai par quelle autorité je fais cela. ³⁰ Le baptême de Jean venait-il du Ciel ou des hommes ? Répondez-moi. » ³¹ Or ils se faisaient par devers eux ce raisonnement : « Si nous répondons : ' Du Ciel ', il dira : ' Pourquoi donc n'avez-vous pas cru en lui ? ' ³² Mais allons-nous dire : ' Des hommes ' ? » Ils redoutaient le peuple, car tout le monde tenait que Jean avait été réellement un prophète. ³³ Alors ils font à Jésus cette réponse : « Nous ne savons pas. » Et Jésus leur dit : « Moi non plus je ne vous dis pas par quelle autorité je fais cela. »

Parabole des vignerons homicides.

12. ¹ Il se mit à leur parler en paraboles : « Un homme planta une vigne, l'entoura d'une clôture, y creusa un pressoir et y bâtit une tour *a*; puis il la loua à des vignerons et partit pour l'étranger. ² Le moment venu, il envoya vers ces vignerons un serviteur pour percevoir d'eux sa part des fruits de la vigne. ³ Mais ils se saisirent de lui, le battirent et le renvoyèrent les mains vides. ⁴ De nouveau, il leur envoya un autre serviteur : celui-là aussi, ils le frappèrent à la tête *b* et le couvrirent d'outrages. ⁵ Et il en envoya un autre : celui-là, ils le tuèrent; puis beaucoup d'autres : ils battirent les uns, tuèrent les autres. ⁶ Il lui restait encore quelqu'un, son fils bien-aimé; il le leur envoya le dernier, en se disant : ' Ils auront des égards pour mon fils. ' ⁷ Mais ces vignerons se dirent entre eux :

‖ Mt **21** 33-46
‖ Lc **20** 9-19

---

a) Cette tour était une tour de garde pour surveiller tous ceux qui auraient pu nuire à la vigne quand le raisin était mûr, hommes et animaux, maraudeurs et chacals. Les termes de la description sont empruntés à Is **5** 2.

b) « Ils le frappèrent à la tête » : traduction d'un mot grec qui n'est attesté nulle part ailleurs et dont le sens reste incertain. On traduit aussi : « ils le maltraitèrent », « ils le rouèrent de coups » (Pernot).

' Voici l'héritier; allons-y, tuons-le, et l'héritage sera à nous. ' ⁸ Et le saisissant, ils le tuèrent et le jetèrent hors de la vigne. ⁹ Que fera le maître de la vigne ? Il viendra, fera périr les vignerons et donnera la vigne à d'autres. ¹⁰ Et n'avez-vous pas lu ce passage de l'Écriture :

Ps **118** 22-23   *La pierre qu'avaient rejetée les bâtisseurs,*
          *c'est elle qui est devenue pierre de faîte*ᵃ *;*
        ¹¹ *c'est là l'œuvre du Seigneur*
          et elle est admirable à nos yeux ? »

¹² Ils cherchaient à l'arrêter, mais ils eurent peur de la foule. Car ils avaient bien compris que c'était pour eux qu'il avait dit cette parabole ᵇ. Et le laissant, ils s'en allèrent.

‖ Mt **22** 15-22
‖ Lc **20** 20-26

L'impôt dû à César ᶜ.

¹³ Ils lui envoient alors quelques-uns des Pharisiens et des Hérodiens ᵈ pour le prendre au piège dans sa parole. ¹⁴ Ils viennent et lui disent : « Maître, nous savons que tu es franc et que tu ne te préoccupes pas de qui que ce soit; car tu ne regardes pas au rang des personnes, mais tu enseignes en toute franchise la voie de Dieu. Est-il permis ou non de payer l'impôt à César ? Devons-nous payer, oui ou non ? » ¹⁵ Mais lui, sachant leur hypocrisie, leur dit : « Pourquoi me tendez-vous un piège ? Apportez-moi un denier, que je le voie. » ¹⁶ Ils en apportèrent un et il leur demanda :

----

a) La pierre qui couronne l'édifice plutôt que la pierre fondamentale.

b) L'emprunt de l'apologue à Isaïe (v. 1) suggère en effet que la vigne est le peuple élu, dont les chefs juifs sont les mauvais vignerons qui maltraitent les divers envoyés de Dieu et s'exposent, par le meurtre du Fils lui-même, à voir Dieu confier son œuvre de salut à « d'autres », qui seront les païens.

c) Les Juifs devaient payer un impôt à l'empereur de Rome, et beaucoup voyaient là une sujétion intolérable. Jésus refuse d'adopter une attitude révolutionnaire et reconnaît les droits du pouvoir établi, tout en réservant les droits supérieurs de Dieu.

d) Voir la note sur **3** 6. Leur caractère politique les rendait particulièrement propres à surprendre et exploiter une parole imprudente de Jésus contre l'autorité romaine.

« De qui est l'effigie que voici ? Et la légende ? » Ils lui répondirent : « De César. » ¹⁷ Alors Jésus leur dit : « Rendez à César ce qui est à César et à Dieu ce qui est à Dieu. » Et ils étaient fort surpris à son sujet.

La résurrection des morts.

¹⁸ Alors viennent à lui des Sadducéens, — de ces gens qui disent qu'il n'y a pas de résurrection, — et ils l'interrogeaient en ces termes : ¹⁹ « Maître, Moïse nous a fait la prescription suivante *a* : Si quelqu'un a un frère qui meure en laissant une femme sans enfants, qu'il épouse la veuve pour susciter une postérité à son frère. ²⁰ Il y avait sept frères. Le premier prit femme et mourut sans laisser de postérité. ²¹ Le second prit la veuve et mourut aussi sans laisser de postérité, et de même le troisième; ²² et aucun des sept ne laissa de postérité. Après eux tous, la femme aussi mourut. ²³ A la résurrection, quand ils ressusciteront, duquel d'entre eux sera-t-elle la femme ? Car tous les sept l'auront eue pour femme. »

²⁴ Jésus leur dit : « N'êtes-vous pas dans l'erreur, parce que vous méconnaissez les Écritures et la puissance de Dieu ? ²⁵ Car, lorsqu'on ressuscite d'entre les morts, on ne prend ni femme ni mari, mais on est comme des anges dans les cieux. ²⁶ Quant au fait que les morts ressuscitent, n'avez-vous pas lu dans le Livre de Moïse, au passage du Buisson *b*, cette parole que Dieu lui a dite : *Je suis le Dieu d'Abraham, le Dieu d'Isaac et le Dieu de Jacob ?* ²⁷ Il n'est pas un Dieu de morts, mais de vivants. Vous êtes grandement dans l'erreur ! »

‖ Mt **22** 23-33
‖ Lc **20** 27-40

Ex **3** 6

---

a) Il s'agit de la loi du « lévirat »; cf. Dt **25** 5 ; Gn **38** 8.

b) « Au passage du Buisson » : là où dans le Pentateuque est raconté l'épisode du buisson ardent. De nos jours encore cet épisode (Ex **3** 1) marque le commencement d'une division de la Bible hébraïque.

||Mt **22** 34-40
||Lc **10** 25-28

**Le premier
commandement.**

²⁸ Un scribe qui les avait entendus discuter, voyant que Jésus avait bien répondu, s'avança et lui demanda : « Quel est le premier de tous les commandements ? »

Dt **6** 4-5

²⁹ Jésus répondit : « Le premier c'est : *Écoute, Israël, le Seigneur notre Dieu est l'unique Seigneur,* ³⁰ *et tu aimeras le Seigneur ton Dieu de tout ton cœur, de toute ton âme,* de tout ton

Lv **19** 18

esprit *et de toute ta force.* ³¹ Voici le second : *Tu aimeras ton prochain comme toi-même.* Il n'y a pas de commandement plus grand que ceux-là. » ³² Le scribe lui dit : « Fort bien, Maître, tu as eu raison de dire qu'Il[a] est unique et qu'il n'y en a pas d'autre que Lui; ³³ l'aimer de tout son cœur, de toute son intelligence et de toute sa force, et aimer le prochain comme soi-même, vaut mieux que tous les holocaustes et tous les sacrifices. » ³⁴ Jésus, voyant qu'il avait fait une remarque pleine de sens, lui dit : « Tu n'es

||Mt **22** 46
||Lc **20** 40

pas loin du Royaume de Dieu. » Et nul n'osait plus l'interroger.

||Mt **22** 41-46
||Lc **20** 41-44

**Le Christ, fils
et Seigneur de David.**

³⁵ Prenant la parole, Jésus disait en enseignant dans le Temple : « Comment les scribes peuvent-ils dire que le Christ est fils de David ? ³⁶ C'est David lui-même qui a dit par l'Esprit Saint :

Ps **110** 1

*Le Seigneur a dit à mon Seigneur :
Siège à ma droite,
jusqu'à ce que j'aie mis tes ennemis
dessous tes pieds.*

---

a) Le scribe, suivant la coutume des Juifs d'alors, évite de prononcer le nom sacro-saint de Yahvé. Outre les textes cités par Jésus, sa réponse s'inspire encore de Dt **4** 35 et de 1 S **15** 22; Os **6** 6; Ps **40** 7; etc.

[37] David en personne l'appelle Seigneur; comment alors peut-il être son fils[a] ? » Et la masse du peuple l'écoutait avec plaisir.

Les scribes jugés par Jésus.

[38] Il disait encore dans son enseignement : « Gardez-vous des scribes qui se plaisent à circuler en longues robes, à recevoir les salutations sur les places publiques, [39] à occuper les premiers sièges dans les synagogues et les premiers divans dans les festins, [40] qui dévorent les biens des veuves, tout en affectant de faire de longues prières : ils subiront, ceux-là, une condamnation plus sévère. »

||Mt **23** 6-7
|| Lc **20** 45-47 ; **11** 43

L'obole de la veuve.

[41] S'étant assis face au Trésor, il regardait la foule mettre de la petite monnaie dans le Trésor[b], et beaucoup de riches en mettaient abondamment. [42] Survint une pauvre veuve qui y mit deux piécettes[c], soit un quart d'as[d]. [43] Alors il appela ses disciples et leur dit : « En vérité, je vous le dis, cette pauvre veuve a mis plus que tous ceux qui ont mis dans le Trésor. [44] Car tous ceux-là ont mis de leur superflu, mais elle, de son indigence, a mis tout ce qu'elle possédait, tout ce qu'elle avait pour vivre. »

||Lc **21** 1-4

Discours eschatologique. Introduction.

13. [1] Comme il sortait du Temple, un de ses disciples lui dit : « Maître, regarde, quelles pierres ! quel-

||Mt **24** 1-3
||Lc **21** 5-7

---

a) En posant cette question, Jésus ne veut pas nier la descendance davidique du Messie, mais faire entendre que son origine n'est pas entièrement expliquée par là et qu'il y entre un élément céleste.

b) Cela laisse supposer que la salle du Trésor, dans l'enceinte du Temple, avait un tronc extérieur pour recevoir les offrandes.

c) Litt. deux *lepta ;* nous dirions équivalemment deux centimes.

d) L'as était la seizième partie du denier d'argent qui valait un peu moins d'un franc-or.

les constructions ! » ² Et Jésus lui dit : « Tu vois ces grandes constructions ? Il n'en restera pas pierre sur pierre : tout sera détruit. »

³ Et comme il était assis sur le mont des Oliviers en face du Temple, Pierre, Jacques, Jean et André l'interrogèrent en particulier : ⁴ « Dis-nous quand cela aura lieu et quel sera le signe que tout cela va s'accomplir *a* ? »

|| Mt **24** 4-14
|| Lc **21** 8-19

Le commencement des douleurs.

⁵ Alors Jésus se mit à leur dire : « Prenez garde qu'on ne vous abuse. ⁶ Il en viendra beaucoup sous mon nom, qui diront : ' C'est moi *b* ', et ils abuseront bien des gens. ⁷ Quand vous entendrez parler de guerres et de rumeurs de guerres, ne vous alarmez pas : il faut que cela arrive, mais ce ne sera pas encore la fin. ⁸ On se dressera, en effet, nation contre nation et royaume contre royaume. Il y aura çà et là des tremblements de terre, il y aura des famines. Ce sera le commencement des douleurs de l'enfantement *c*.

|| Mt **10** 17-22

⁹ « Soyez sur vos gardes. On vous livrera aux sanhédrins *d*, vous serez battus de verges dans les synagogues

---

a) Les disciples comprennent, sous cette expression « tout cela », fin du Temple et fin du monde; dans leur esprit, c'étaient deux faits qui devaient coïncider chronologiquement. Jésus maintient entre les deux événements un lien, non plus de coïncidence chronologique, mais de symbolisme figuratif : la ruine du Temple et de Jérusalem est le signe qui annonce et le symbole qui préfigure, avec la fin du Judaïsme, la fin du monde.

b) Ils se présenteront comme le Messie attendu.

c) Guerres, séismes, famines, douleurs de parturition relèvent d'une imagerie courante dans la littérature prophétique et apocalyptique (voir références dans les notes sur Matthieu) pour illustrer l'horreur des châtiments divins sur le monde. Jésus la reprend pour décrire le grand jugement qui amènera la ruine du Judaïsme et l'avènement du règne de Dieu dans l'Église.

d) Les sanhédrins indiquent les tribunaux des autorités juives; les autorités païennes sont « les gouverneurs et les rois ».

et vous comparaîtrez devant des gouverneurs et des rois, à cause de moi, pour rendre témoignage devant eux. [10] Car il faut d'abord que la Bonne Nouvelle soit proclamée à toutes les nations.

[11] « Et quand on vous emmènera pour vous livrer, ne vous préoccupez pas de ce que vous direz, mais dites ce qui vous sera donné sur le moment : car ce n'est pas vous qui parlerez, mais l'Esprit Saint. [12] Le frère livrera son frère à la mort et le père son enfant, et les enfants se dresseront contre leurs parents et les feront mourir. [13] Et vous serez haïs de tous à cause de mon Nom, mais celui qui aura tenu bon jusqu'au bout, celui-là sera sauvé.

La grande tribulation de Jérusalem.

[14] « Lorsque vous verrez *l'abomination de la désolation*[a] installée là où elle ne doit pas être (que le lecteur comprenne[b] !), alors que ceux qui seront en Judée s'enfuient dans les montagnes; [15] que celui qui sera sur la terrasse ne descende pas pour rentrer dans sa maison et prendre ses affaires; [16] et que celui qui sera aux champs ne retourne pas en arrière pour prendre son manteau. [17] Malheur à celles qui seront enceintes ou allaiteront en ces jours-là ! [18] Priez pour que cela ne tombe pas en hiver. [19] Car en ces jours-là il y aura *une détresse telle qu'il n'y en a pas eu* de pareille depuis le commencement où Dieu a créé le monde *jusqu'à ce jour,* et qu'il n'y en aura jamais plus. [20] Et si le Seigneur n'avait abrégé ces jours, nul n'aurait eu la vie sauve; mais à cause des élus qu'il a choisis, il a abrégé ces jours. [21] Alors si l'on vous

|| Mt **24** 15-25
|| Lc **21** 20-24
Dn **9** 27 ; **11** 31 ; **12** 11

Dn **12** 1

---

a) L'expression, empruntée à Dn **9** 27; **11** 31; **12** 11, indique une puissance païenne envahissant la Terre Sainte, comme firent les Romains pour le siège de Jérusalem en 70.

b) Parenthèse de Marc ou note marginale passée dans le texte, à l'adresse du lecteur de l'évangile.

dit : ' Tenez, voici le Christ ' ou : ' Tenez, le voilà ', n'en croyez rien. [22] Il surgira, en effet, des faux Christs et des faux prophètes qui opéreront des signes et des prodiges pour abuser, si possible, les élus. [23] Pour vous, soyez en garde : vous voilà prévenus de tout.

|| Mt **24** 29-31
|| Lc **21** 25-27

L'avènement du Fils de l'homme.

[24] « Mais en ces jours-là, après cette détresse, le soleil s'obscurcira, la lune perdra son éclat, [25] les étoiles se mettront à tomber du ciel et les puissances qui sont dans les cieux seront ébranlées[a]. [26] Et alors on verra le Fils de l'homme venir dans des nuées avec grande puissance et gloire[b]. [27] Et alors il enverra les anges pour rassembler ses élus, des quatre vents[c], de l'extrémité de la terre à l'extrémité du ciel[d].

|| Mt **24** 32-36
|| Lc **21** 29-33

Le moment de cet avènement.

[28] « Du figuier apprenez cette parabole. Dès que sa ramure devient flexible et que ses feuilles poussent, vous vous rendez compte que l'été est proche. [29] De même, vous aussi, lorsque vous verrez cela arriver, rendez-vous compte qu'Il[e] est proche, aux portes. [30] En vérité je vous le dis, cette génération ne passera pas que tout cela ne soit arrivé[f]. [31] Le ciel et la terre passeront, mais mes paroles ne passeront point.

---

a) Ce sont là encore des images traditionnelles pour signifier la majesté de Dieu venant juger le monde. Voir en particulier Is **13** 10; **34** 4. Les « puissances des cieux » sont les astres.

b) Voir Dn **7** 13-14. Jésus s'appliquera à nouveau ce texte devant le Sanhédrin (**14** 62).

c) « Des quatre vents », c'est-à-dire des quatre points cardinaux. Cf. Za **2** 10.

d) La formule embrasse l'espace tout entier. Elle s'inspire de Dt **30** 4.

e) Le Fils de l'homme, qui vient établir son règne.

f) Rapprochée de ce qui précède immédiatement, c'est-à-dire d'un évé-

³² « Quant à la date de ce jour, ou à l'heure, personne ne les connaît, ni les anges dans le ciel, ni le Fils*a*, personne que le Père.

Veiller pour ne pas être surpris.

³³ « Soyez sur vos gardes, veillez, car vous ne savez pas quand ce sera le moment. ³⁴ Il en sera comme d'un homme parti en voyage : il a quitté sa maison, tout remis aux soins de ses serviteurs, assigné à chacun sa tâche, et au portier il a recommandé de veiller. ³⁵ Veillez donc, car vous ne savez pas quand le maître de la maison viendra, le soir, à minuit, au chant du coq ou le matin*b*, ³⁶ de peur que, venant à l'improviste, il ne vous trouve endormis. ³⁷ Et ce que je vous dis à vous, je le dis à tous : veillez ! »

|| Mt **24** 42 ; **25** 13-15
|| Lc **19** 12-13 ; **12** 38, 40

V

LA PASSION ET LA RÉSURRECTION DE JÉSUS

Complot contre Jésus.

14. ¹ La Pâque et les Azymes*c* allaient avoir lieu dans deux jours, et les grands

|| Mt **26** 2-5
|| Lc **22** 1-2

nement qui sera annoncé par des signes, cette parole s'applique à la ruine du Temple, sur laquelle les disciples avaient interrogé Jésus (**13** 3).

a) Le Fils est dit ignorer l'heure et le jour de la fin du monde en ce sens que c'est là un objet qu'il n'a pas pour mission de communiquer aux hommes, comme il ne lui appartenait pas pendant sa vie terrestre de disposer des places dans le Royaume des cieux (Mc **10** 40).

b) Nous avons là les désignations des quatre veilles qui divisaient la nuit, chacune étant de trois heures.

c) La Pâque était proprement le sacrifice de l'agneau pascal que l'on mangeait le soir du 14 Nisan (approximativement avril); la fête des Azymes ou pains sans levain suivait la Pâque et durait sept jours, du soir du 14 Nisan au soir du 21.

prêtres et les scribes cherchaient le moyen d'arrêter Jésus par ruse pour le mettre à mort. ² Car ils se disaient : « Pas en pleine fête, de peur qu'il n'y ait du tumulte parmi le peuple. »

‖ Mt **26** 6-13
‖ Jn **12** 1-8

L'onction à Béthanie. ³ Comme Jésus se trouvait à Béthanie, chez Simon le lépreux, alors qu'il était à table, une femme*a* vint, avec un flacon d'albâtre contenant un nard pur, de grand prix*b*. Brisant le flacon, elle le lui versa sur la tête. ⁴ Or il y en eut qui s'indignèrent entre eux : « A quoi bon ce gaspillage de parfum ? ⁵ Ce parfum pouvait être vendu plus de trois cents deniers et donné aux pauvres. » Et ils la rudoyaient. ⁶ Mais Jésus dit : « Laissez-la; pourquoi la tracassez-vous ? C'est une bonne œuvre*c* qu'elle a accomplie sur moi; ⁷ les pauvres, en effet, vous les aurez toujours avec vous et, quand vous le voudrez, vous pourrez leur faire du bien, mais moi, vous ne m'aurez pas toujours. ⁸ Elle a fait ce qui était en son pouvoir : d'avance elle a parfumé mon corps pour l'ensevelissement. ⁹ En vérité, je vous le dis, partout où sera proclamée la Bonne Nouvelle, dans le monde entier, on redira aussi, à sa mémoire, ce qu'elle vient de faire. »

‖ Mt **26** 14-16
‖ Lc **22** 3-6

La trahison de Judas. ¹⁰ Judas Iscarioth, l'un des Douze, s'en alla offrir aux grands prêtres de leur livrer Jésus. ¹¹ A cette nouvelle, ils se réjouirent et ils promirent de lui donner de l'argent. Et il cherchait une occasion favorable pour le livrer.

---

a) Cette femme est Marie, sœur de Marthe, comme le précise le récit parallèle de Jn **12** 3. La scène de Lc **7** 36-50 est différente.

b) Ce nard était extrait d'une plante aromatique de l'Inde.

c) Au sens précis que les écrits rabbiniques donnent à ce mot pour désigner les œuvres de charité. Or, parmi elles, l'ensevelissement d'un mort passait pour plus méritoire qu'une simple aumône faite aux pauvres.

**Préparatifs
du repas pascal.**

¹² Le premier jour des Azymes, où l'on immolait la Pâque*^a*, ses disciples lui disent : « Où veux-tu que nous allions faire les préparatifs pour que tu manges la Pâque ? » ¹³ Il envoie alors deux de ses disciples, en leur disant : « Allez à la ville; vous rencontrerez un homme portant une cruche d'eau*^b*. Suivez-le, ¹⁴ et là où il entrera, dites au propriétaire : ' Le Maître te fait dire : Où est ma salle, où je pourrai manger la Pâque avec mes disciples ? ' ¹⁵ Et il vous montrera, à l'étage, une grande pièce garnie de coussins, toute prête; faites-y pour nous les préparatifs. » ¹⁶ Les disciples partirent et vinrent à la ville, et ils trouvèrent tout comme il le leur avait dit, et ils préparèrent la Pâque.

|| Mt **26** 17-19
|| Lc **22** 7-13

**Annonce
de la trahison
de Judas.**

¹⁷ Le soir venu, il arrive avec les Douze. ¹⁸ Et tandis qu'ils étaient à table et qu'ils mangeaient, Jésus dit : « En vérité, je vous le dis, l'un de vous me livrera, un *qui mange avec moi*. » ¹⁹ Ils devinrent tout tristes et se mirent à lui demander l'un après l'autre : « Serait-ce moi ? » ²⁰ Il leur répondit : « C'est l'un des Douze, qui plonge avec moi la main dans le même plat*^c*. ²¹ Oui, le Fils de l'homme s'en va selon qu'il est écrit de lui; mais malheur à cet homme-là par qui le Fils de l'homme

|| Mt **26** 20-25
|| Lc **22** 14,
21-23

Ps 41 10

---

a) En comptant les jours à la manière romaine, c'est-à-dire à partir du lever du soleil, le commencement des Azymes se plaçait au même jour où avait été immolé l'Agneau pascal. Bien que l'habitude juive fût de compter les jours à partir du coucher du soleil, on voit des écrivains juifs, comme Josèphe, nommer « premier jour des Azymes » le 14 Nisan.

b) Il s'agit sans doute d'un signe convenu d'avance entre Jésus et le propriétaire du Cénacle.

c) Les Orientaux, jadis comme aujourd'hui, mangeaient autour d'un plat où chacun puisait directement sa nourriture.

est livré ! Mieux eût valu pour cet homme-là de ne pas naître ! »

‖ Mt **26** 26-29
‖ Lc **22** 15-20
‖ 1 Co **11** 23-25

**Institution
de l'Eucharistie.**

²² Et tandis qu'ils man-geaient[a], il prit du pain, et, après avoir prononcé la bé-nédiction, il le rompit et le leur donna en disant : « Prenez, ceci est mon corps. » ²³ Puis, prenant une coupe, il rendit grâces et la leur donna, et ils en burent tous. ²⁴ Et il leur dit : « Ceci est mon sang, le sang de l'alliance, qui va être répandu pour une multitude. ²⁵ En vérité, je vous le dis, je ne boirai plus du produit de la vigne jusqu'au jour où je boirai le vin nouveau dans le Royaume de Dieu. »

‖ Mt **26** 30-35
‖ Lc **22** 39, 31-34
‖ Jn **13** 36-38

**Prédiction
du reniement de Pierre.**

²⁶ Après le chant des psau-mes[b], ils partirent pour le mont des Oliviers. ²⁷ Et Jé-sus leur dit : « Tous vous

Za **13** 7 allez être scandalisés, car il est écrit : *Je frapperai le pasteur et les brebis seront dispersées.* ²⁸ Mais après ma résurrection, je vous précéderai en Galilée. » ²⁹ Pierre lui dit : « Même si tous sont scandalisés, du moins pas moi ! » ³⁰ Jésus lui répond : « En vérité, je te le dis, toi, aujourd'hui, cette nuit même, avant que le coq chante deux fois, tu m'auras renié trois fois. » ³¹ Mais lui reprenait de plus belle : « Dussé-je mourir avec toi, non, je ne te renierai pas. » Et tous disaient de même.

a) Après le premier service (v. 18), les convives sont arrivés à la partie principale du repas. C'est sur les gestes qui la commençaient (bénédiction du pain) et la clôturaient (bénédiction d'une coupe de vin) que Jésus a greffé son rite nouveau. A l'alliance ancienne, scellée au Sinaï par le sang des victimes (Ex 24 4-8), il substitue l'alliance « nouvelle » (cf. Lc 22 20) qu'il va sceller dans son propre sang, sur la Croix.

b) A la fin du repas pascal les convives récitaient la série des psaumes d'actions de grâces, **113-118** (Vulg **112-117**), appelée *Hallel* parce que tous ces psaumes commençaient par *haleelû-yāh,* « louez Yahvé ».

A Gethsémani. ³² Ils parviennent à un domaine appelé Gethsémani*ª*, et Jésus dit à ses disciples : « Restez ici tandis que je prierai. » ³³ Puis il prend avec lui Pierre, Jacques et Jean, et il commença à ressentir effroi et angoisse. ³⁴ Et il leur dit : « Mon âme est triste à en mourir*ᵇ*; demeurez ici et veillez. » ³⁵ Étant allé un peu plus loin, il se prosterna contre terre, et il priait pour que, s'il était possible, cette heure passât loin de lui. ³⁶ Et il disait : « Abba (Père) ! tout t'est possible : éloigne de moi cette coupe; cependant, pas ce que je veux, mais ce que tu veux*ᶜ* ! » ³⁷ Il revient et les trouve en train de dormir; et il dit à Pierre : « Simon, tu dors ? Tu n'as pas eu la force de veiller une heure ? ³⁸ Veillez et priez pour ne pas entrer en tentation : l'esprit est ardent, mais la chair est faible. » ³⁹ Puis il s'en alla de nouveau et pria, en répétant les mêmes paroles. ⁴⁰ De nouveau il revint et les trouva endormis, car leurs yeux étaient alourdis; et ils ne surent que lui dire. ⁴¹ Une troisième fois il revient et leur dit : « Désormais vous pouvez dormir et vous reposer*ᵈ*. C'en est fait. L'heure est venue : voici que le Fils de l'homme va être livré aux mains des pécheurs. ⁴² Levez-vous ! Allons ! Celui qui me livre est tout proche. »

|| Mt **26** 36-46
|| Lc **22** 40-45

L'arrestation de Jésus. ⁴³ Et aussitôt, comme il parlait encore, se présente Judas, l'un des Douze, et

|| Mt **26** 47-56
|| Lc **22** 47-53
|| Jn **18** 2-11

---

a) C'est-à-dire « pressoir à huile ». Lieu situé dans la vallée du Cédron' à l'est de Jérusalem, au pied du mont des Oliviers.

b) Expression biblique : cf. Ps **42** 6 et Jon **4** 8 s.

c) Jésus a voulu ressentir dans toute sa force l'effroi naturel qu'inspire la mort; et il a éprouvé le désir légitime d'y échapper, tout en le réprimant par l'acceptation héroïque de la volonté divine.

d) « Libre aux disciples d'essayer de dormir, ce n'est plus Jésus qui les en empêche; mais c'en est fait... cette heure (v. 35) à laquelle Jésus aurait voulu échapper est désormais présente » (Lagrange).

avec lui une bande armée de glaives et de bâtons, venant
de la part des grands prêtres, des scribes et des anciens.
44 Or, le traître leur avait donné ce signe convenu : « Celui
que je baiserai, c'est lui; arrêtez-le et emmenez-le sous
bonne garde. » 45 Et aussitôt arrivé, il s'approcha de lui
en disant : « Rabbi », et il le baisa. 46 Les autres mirent la
main sur lui et l'arrêtèrent. 47 Alors l'un des assistants[a],
dégainant son glaive, frappa le serviteur du Grand Prêtre
et lui trancha l'oreille.

48 S'adressant à eux, Jésus leur dit : « Suis-je un brigand,
que vous vous soyez mis en campagne avec des glaives
et des bâtons pour me saisir ! 49 Chaque jour j'étais parmi
vous dans le Temple, à enseigner, et vous ne m'avez pas
arrêté. Mais c'est pour que les Écritures s'accomplissent. »
50 Et, l'abandonnant, ils s'enfuirent tous. 51 Un jeune
homme le suivait, n'ayant pour tout vêtement qu'un drap,
et on le saisit; 52 mais lui, lâchant le drap, s'enfuit tout nu[b].

|| Mt **26** 57-68
|| Lc **22** 54, 63-71

Jésus devant le Sanhédrin.

53 Ils emmenèrent Jésus
chez le Grand Prêtre[c], et
tous les grands prêtres, les
anciens et les scribes se ras-
semblent[d]. 54 Pierre l'avait suivi de loin jusqu'à l'intérieur
du palais du Grand Prêtre et, assis avec les valets, il se
chauffait à la flambée.

|| Jn **18** 15-16, 18

55 Or, les grands prêtres et tout le Sanhédrin cherchaient un témoignage contre Jésus pour le faire mourir

---

a) Pierre lui-même, d'après Jn **18** 10.

b) Beaucoup de commentateurs ont vu dans ce jeune homme l'évangéliste lui-même.

c) Mt **26** 57 le nomme Caïphe; il fut en fonction de l'an 18 à l'an 36.

d) La séance officielle du Sanhédrin n'a dû se tenir qu'au matin, comme le dit Lc **22** 66; tandis que l'attente de la nuit n'aura donné lieu qu'à la comparution officieuse devant Anne dont parle Jn **18** 13, 19-24. Omettant celle-ci, Marc et Matthieu ont reporté dans la nuit ce qui n'eut lieu qu'au petit jour.

et ils n'en trouvaient pas. ⁵⁶ Plusieurs, il est vrai, déposaient faussement contre lui, mais leurs témoignages ne concordaient pas. ⁵⁷ Quelques-uns se levèrent pour porter contre lui ce faux témoignage : ⁵⁸ « Nous l'avons entendu qui disait : Je détruirai ce Temple fait de main d'homme et en trois jours j'en rebâtirai un autre qui ne sera pas fait de main d'homme *a*. » ⁵⁹ Mais sur cela même leurs dépositions n'étaient pas d'accord.

⁶⁰ Alors le Grand Prêtre, se levant devant l'assemblée, interrogea Jésus : « Tu ne réponds rien ? Qu'est-ce que ces gens attestent contre toi *b* ? » ⁶¹ Mais lui se taisait et ne répondait rien. De nouveau le Grand Prêtre l'interrogea et lui dit : « Es-tu le Christ, le Fils du Béni *c* ? » — ⁶² « Je le suis, répondit Jésus, et vous verrez *le Fils de l'homme siéger à la droite de la Puissance d* et *venir avec les nuées du ciel*. » ⁶³ Alors le Grand Prêtre déchira ses tuniques et dit : « Qu'avons-nous encore besoin de témoins ? ⁶⁴ Vous avez entendu le blasphème *e*; que vous en semble ? » Tous prononcèrent qu'il méritait la mort *f*.

⁶⁵ Puis quelques-uns se mirent à lui cracher dessus, à lui couvrir d'un voile le visage et à le gifler en lui disant : « Fais le prophète ! » Et les valets le bourrèrent de coups.

Ps **110** 1
Dn **7** 13

---

a) Jésus a vraiment tenu un propos de ce genre, mais en l'entendant de son corps ressuscité, Temple du culte nouveau, qu'il devait substituer à l'édifice matériel de l'ancien; cf. Jn **2** 19-21 et Ac **6** 14.

b) En ramenant à une seule les deux interrogations, on traduit aussi : « Tu ne réponds rien à ce que ces gens attestent contre toi ? »

c) Qualificatif remplaçant le nom de Yahvé, que les Juifs évitaient de prononcer.

d) Autre substitut du nom de Yahvé.

e) Jésus blasphémait à leurs yeux, non en se disant Messie, mais en revendiquant une place de rang divin.

f) Le Sanhédrin pouvait prononcer la condamnation capitale, mais il appartenait au gouverneur romain de ratifier la sentence et de la faire exécuter.

|| Mt **26** 69-75
|| Lc **22** 55-62
|| Jn **18** 15-
18, 25-27

Reniements de Pierre.

[66] Comme Pierre était en bas dans la cour, arrive une des servantes du Grand Prêtre. [67] Voyant Pierre qui se chauffait, elle le dévisagea et dit : « Toi aussi tu étais avec le Nazarénien, avec Jésus. » [68] Mais il le nia en disant : « Je ne sais pas, je ne comprends pas ce que tu veux dire. » Puis il se retira dehors vers le vestibule. [69] La servante, l'ayant vu, recommença à dire aux assistants : « En voilà un qui en est ! » [70] Mais de nouveau il nia. Un moment après, à leur tour, ceux qui se trouvaient là dirent à Pierre : « Sûrement tu en es; et d'ailleurs tu es Galiléen[a]. » [71] Alors il se mit à jurer avec force imprécations : « Je ne connais pas cet homme dont vous parlez. » [72] Et aussitôt, pour la seconde fois, un coq chanta. Et Pierre se ressouvint de la parole que Jésus lui avait dite : « Avant que le coq chante deux fois, tu m'auras renié trois fois. » Et il éclata en sanglots.

|| Mt **27** 1-2,
11-26
|| Lc **22** 66 ;
23 1-5, 13-25
|| Jn **18** 28-
40 ; **19** 4-16

Jésus devant Pilate.

15. [1] Et aussitôt, le matin, les grands prêtres préparèrent un conseil avec les anciens, les scribes, en un mot tout le Sanhédrin[b]; puis, après avoir ligoté Jésus, ils l'emmenèrent et le livrèrent à Pilate[c].

---

14 68. *La masse ajoute* « Et un coq chanta »; *omis par T. Alex W VetLat* (c) *Syrsin.*

a) Mt **26** 73 précise que sa qualité de Galiléen se reconnaissait à sa façon de parler.

b) Marc ne sait rien dire de cette réunion du matin, parce qu'il en a déjà raconté l'essentiel à propos de l'interrogatoire de la nuit; cf. la note sur **14** 53.

c) Pilate gouverna la Judée en qualité de procurateur, de l'an 26 à l'an 36. Il séjournait ordinairement à Césarée sur la Méditerranée, mais il était monté à Jérusalem pour surveiller la foule juive rassemblée pour la Pâque. On a discuté sur le lieu de sa résidence pendant la Passion de Jésus :

² Pilate l'interrogea : « Tu es le roi des Juifs ? » Jésus lui répond : « Tu le dis *a*. » ³ Et les grands prêtres multipliaient contre lui les accusations. ⁴ Pilate l'interrogea de nouveau : « Tu ne réponds rien ? Vois tout ce dont ils t'accusent ! » ⁵ Mais Jésus ne répondit plus rien, si bien que Pilate était étonné.

⁶ A chaque Fête *b*, il leur relâchait un prisonnier, celui qu'ils demandaient. ⁷ Or, il y avait en prison un nommé Barabbas, arrêté avec les émeutiers qui avaient commis un meurtre dans la sédition. ⁸ La foule étant montée *c* se mit à demander la grâce accoutumée. ⁹ Pilate leur répondit : « Voulez-vous que je vous relâche le roi des Juifs ? » ¹⁰ (Il se rendait bien compte que c'était par jalousie que les grands prêtres l'avaient livré.) ¹¹ Cependant, les grands prêtres excitèrent la foule à demander qu'il leur relâchât plutôt Barabbas. ¹² Pilate, prenant de nouveau la parole, leur dit : « Que ferai-je donc de celui que vous appelez le roi des Juifs ? » ¹³ Mais eux crièrent de nouveau : « Crucifie-le ! » ¹⁴ Pilate reprit : « Qu'a-t-il donc fait de mal ? » Mais ils n'en crièrent que plus fort : « Crucifie-le ! » ¹⁵ Pilate alors, voulant contenter la foule, leur relâcha Barabbas et, après avoir fait flageller Jésus *d*, il le livra pour être crucifié.

la forteresse Antonia qui dominait le Temple ou l'ancien palais d'Hérode le Grand, en haut de la colline occidentale. Ce dernier lieu est le plus probable.

a) La phrase : « Tu le dis » a été diversement comprise : comme un refus de répondre : « C'est toi qui le dis, et non pas moi », ou comme un aveu pur et simple, ou comme un aveu, mais « avec cette nuance qu'on ne l'aurait pas dit si l'on n'avait été interrogé » (Lagrange). Cette dernière explication paraît la meilleure.

b) La fête par excellence était celle de Pâque.

c) La foule est dite « être montée », parce que la résidence du procurateur était en haut d'une colline, ce qui se vérifie mieux de la colline occidentale, où était l'ancien palais d'Hérode le Grand.

d) Les Romains avaient coutume de flageller le condamné avant de le crucifier ; c'était en partie pour l'affaiblir et hâter sa mort sur le gibet.

‖ Mt **27** 27-31
‖ Jn **19** 1-3

**Le couronnement
d'épines.**

¹⁶ Les soldats l'emmenè-rent à l'intérieur du palais, qui est le Prétoire[a], et ils appellent toute la cohorte[b]. ¹⁷ Ils le revêtent de pourpre[c], puis, ayant tressé une cou-ronne d'épines, ils la lui mettent. ¹⁸ Et ils se mirent à le saluer : « Salut, roi des Juifs ! » ¹⁹ Et ils lui frappaient la tête avec un roseau et ils lui crachaient dessus, et ils ployaient le genou devant lui pour lui rendre hommage. ²⁰ Puis, quand ils se furent moqués de lui, ils lui ôtèrent le manteau de pourpre et lui rendirent ses vêtements.

‖ Mt **27** 32-33
‖ Lc **23** 26
‖ Jn **19** 17

Le chemin de croix.

Ils le conduisent dehors pour le crucifier. ²¹ Et ils requièrent, pour porter sa croix, Simon de Cyrène, le père d'Alexandre et de Rufus[d], qui revenait des champs. ²² Et ils amènent Jésus au lieu dit Golgotha, ce qui signifie lieu du Crâne[e].

‖ Mt **27** 34-38
‖ Lc **23** 33-34
‖ Jn **19** 18-24

Le crucifiement.

²³ Et ils lui donnaient du vin mêlé de myrrhe[f], mais il n'en prit pas. ²⁴ Puis ils le crucifient et se partagent ses vêtements en tirant au sort ce qui reviendrait à chacun[g]. ²⁵ C'était la troisième

---

a) Le « Prétoire » était la résidence du gouverneur.

b) La cohorte romaine comprenait 600 hommes, mais le grec σπεῖρα peut désigner un détachement de moindre importance.

c) Sans doute quelque casaque rouge de soldat.

d) Cette mention des fils de Simon suppose qu'ils étaient connus de la communauté romaine où Marc écrivit son évangile. Dans Rm **16** 13, Paul salue un Rufus et sa mère qu'il a connus avant d'avoir fait le voyage de Rome. Il n'est pas arbitraire de penser que ce fut en Palestine et que le Rufus de Rome est le même que le fils de Simon.

e) En latin *Calvaria*, d'où notre terme de « Calvaire ».

f) Breuvage enivrant qui devait atténuer les douleurs, particulièrement atroces, de la crucifixion.

g) Les termes sont pris de Ps **22** 19, dont cette action des soldats accom-plit la prophétie; cf. Jn **19** 24.

heure[a] quand ils le crucifièrent. **26** L'inscription qui indiquait le motif de sa condamnation était libellée : « Le roi des Juifs. » **27** Et avec lui ils crucifient deux brigands, l'un à sa droite, l'autre à sa gauche.

29 Les passants l'injuriaient en hochant la tête et disant : « Hé ! toi qui détruis le Temple et le rebâtis en trois jours, **30** sauve-toi toi-même en descendant de la croix ! » **31** Pareillement les grands prêtres avec les scribes se gaussaient entre eux et disaient : « Il en a sauvé d'autres et il ne peut se sauver lui-même ! **32** Que le Christ, le Roi d'Israël, descende maintenant de la croix, pour que nous voyions et que nous croyions ! » Même ceux qui étaient crucifiés avec lui l'outrageaient[b].

Jésus en croix raillé et outragé.

|| Mt **27** 39-44
|| Lc **23** 35-37

33 Quand il fut la sixième heure, l'obscurité se fit sur le pays tout entier jusqu'à la neuvième heure[c]. **34** Et à la neuvième heure Jésus clama en un grand cri : « *Éloï, Éloï[d], lama sabachthani* », ce qui signifie : « *Mon Dieu, mon Dieu, pourquoi m'as-tu abandonné[e] ?* » **35** Certains des assistants dirent en l'entendant : « Voilà

La mort de Jésus.

|| Mt **27** 45-54
|| Lc **23** 44-47
|| Jn **19** 28-30

Ps **22** 2

---

15 28. *La masse ajoute ce v. : « Et cette Écriture fut accomplie, qui dit : Et il a été mis au rang des malfaiteurs » (Is 53 12); omis par B S C D k Syrsin Bo Sa ; l'insertion a pu se faire sous l'influence de Lc 22 37.*

---

a) Neuf heures du matin ou, plus largement, le temps entre neuf heures du matin et midi.
b) Lc **23** 39-43 précise toutefois que l'un d'eux se repentit.
c) De la sixième à la neuvième heure, c'est-à-dire de midi à trois heures de l'après-midi.
d) Jésus a dû prononcer en araméen *'Élâhî, 'Élâhî*, transcrit *Éloï, Éloï*, peut-être sous l'influence de l'hébreu *Élohim*.
e) Citation d'un Psaume, cette parole n'est pas un cri de vrai désespoir, mais l'accomplissement conscient et volontaire d'un texte prophétique, dont la fin (Ps **22** 24-32) exprime d'ailleurs la délivrance et le triomphe après la détresse.

qu'il appelle Élie[a] ! » [36] Quelqu'un courut tremper une éponge dans du vinaigre et, l'ayant mise au bout d'un roseau, il lui donnait à boire en disant : « Attendez voir si Élie va venir le descendre ! » [37] Or Jésus, jetant un grand cri, expira. [38] Et le rideau du Temple se déchira en deux, du haut en bas[b]. [39] Voyant qu'il avait ainsi expiré, le centurion, qui se tenait en face de lui, s'écria : « Vraiment cet homme était fils de Dieu[c] ! »

|| Mt **27** 55-56
|| Lc **23** 49
|| Jn **19** 25

Les saintes femmes au Calvaire.

[40] Il y avait aussi des femmes qui regardaient à distance, entre autres Marie de Magdala, Marie, mère de Jacques le petit et de Joset[d], et Salomé[e], [41] qui le suivaient et le servaient lorsqu'il était en Galilée; beaucoup d'autres encore qui étaient montées avec lui à Jérusalem.

|| Mt **27** 57-61
|| Lc **23** 50-55
|| Jn **19** 38-42

L'ensevelissement.

[42] Déjà le soir était venu et comme c'était la Parascève[f], c'est-à-dire la veille du sabbat, [43] Joseph d'Arimathie[g], membre notable du Conseil[h], qui attendait lui aussi le Royaume de Dieu, s'en vint hardiment trouver Pilate et demanda le corps de Jésus. [44] Pilate s'étonna qu'il fût déjà mort et, ayant fait

---

a) Méchant jeu de mots, fondé sur l'attente d'une intervention d'Élie comme précurseur du Messie (cf. **9** 11).

b) Le rideau du Temple est pour les uns (saint Jérôme, saint Thomas) la tenture qui était à l'entrée du premier sanctuaire, le Saint; pour les autres, celle qui était placée entre le Saint et le Saint des Saints.

c) Bien que l'officier romain n'ait pu mettre dans cette confession tout le sens que nous lui donnons, Marc y voit certainement l'aveu par un païen de la personnalité surhumaine de Jésus.

d) D'après **6** 3, Marie, mère de Jacques et de Joset, était sans doute une tante de Jésus.

e) Probablement la même que Mt **27** 56 appelle mère des fils de Zébédée.

f) Ce mot grec signifie « la préparation » en vue du sabbat.

g) L'ancienne *Ramathaïm,* patrie de Samuel, aujourd'hui *Rentis,* à 35 km. au nord-ouest de Jérusalem.

h) C'est-à-dire du Sanhédrin.

appeler le centurion, il lui demanda s'il était déjà mort.
[45] Informé par le centurion, il octroya le corps à Joseph.
[46] Celui-ci, ayant acheté un linceul, descendit Jésus de la
croix, l'enveloppa dans le linceul et le déposa dans une
tombe qui avait été taillée dans le roc; puis il roula une
pierre à l'entrée du tombeau. [47] Or, Marie de Magdala et
Marie, mère de Joset, regardaient où on l'avait mis.

16. [1] Quand le sabbat fut
passé, Marie de Magdala,
Marie, mère de Jacques, et
Salomé, achetèrent des aro-
mates pour aller oindre le corps. [2] Et de grand matin, le
premier jour de la semaine[a], elles vont au tombeau,
comme le soleil se levait.

**Le tombeau vide.
Message de l'Ange.**

|| Mt **28** 1-8
|| Lc **24** 1-12
|| Jn **20** 1-10

[3] Elles se disaient entre elles : « Qui nous roulera la
pierre hors de l'entrée du tombeau ? » [4] Et ayant regardé,
elles virent que la pierre avait été roulée de côté : or elle
était fort grande. [5] Étant entrées dans le tombeau, elles
virent un jeune homme assis à droite, vêtu d'une robe
blanche, et elles furent saisies de stupeur. [6] Mais il leur
dit : « Ne vous effrayez pas. C'est Jésus le Nazarénien que
vous cherchez, le Crucifié : il est ressuscité, il n'est pas ici.
Voici le lieu où on l'avait placé. [7] Mais allez dire à ses
disciples, et notamment à Pierre, qu'il vous précède en
Galilée : là vous le verrez, comme il vous l'a dit. » [8] Elles
sortirent et s'enfuirent du tombeau, parce qu'elles étaient
toutes tremblantes et hors d'elles-mêmes. Et elles ne dirent
rien à personne[b], car elles avaient peur...

---

44. « *s'il était déjà mort* » B D W *quelques minusc.*; « *s'il était mort depuis
longtemps* » *la masse.*
16 2. « *comme le soleil se levait* » D V *et* Lat (*c q n*); « *le soleil s'étant levé* » *la masse.*

a) Correspond à notre dimanche.
b) D'après Mt **28** 8; Lc **24** 10, 22; Jn **20** 18, elles ont cependant parlé. Si

**Apparitions
de Jésus ressuscité.**

|| Jn **20** 11-18

[9] Ressuscité le matin, le premier jour de la semaine, Jésus apparut d'abord à Marie de Magdala dont il avait chassé sept démons. [10] Celle-ci alla le rapporter à ceux qui avaient été ses compagnons et qui étaient dans le deuil et les larmes.

|| Lc **24** 10-11

[11] Eux, l'entendant dire qu'il vivait et qu'elle l'avait vu, ne la crurent pas.

|| Lc **24** 13-35

[12] Après cela, il se manifesta sous d'autres traits à deux d'entre eux qui étaient en chemin et s'en allaient à la campagne. [13] Et ceux-là revinrent l'annoncer aux autres, mais on ne les crut pas non plus.

|| Lc **24** 36-49
|| Jn **20** 19-23

[14] Enfin il se manifesta aux Onze eux-mêmes pendant qu'ils étaient à table, et il leur reprocha leur incrédulité et leur obstination à ne pas ajouter foi à ceux qui l'avaient

|| Mt **28** 18-20

vu ressuscité. [15] Et il leur dit : « Allez par le monde entier, proclamez la Bonne Nouvelle à toute la création. [16] Celui qui croira et sera baptisé, sera sauvé; celui qui ne croira pas, sera condamné. [17] Et voici les miracles qui accompagneront ceux qui auront cru : par mon Nom ils chasseront les démons, ils parleront en langues, [18] ils prendront des serpents dans leurs mains, et s'ils boivent quelque poison mortel, ils n'en éprouveront aucun mal; ils imposeront les mains aux malades et ceux-ci seront guéris. »

|| Lc **24** 50-53
|| Ac **1** 4-14

[19] Or le Seigneur Jésus, après leur avoir parlé, fut enlevé au ciel et il s'assit à la droite de Dieu. [20] Pour eux, ils s'en allèrent prêcher en tout lieu, le Seigneur agissant avec

---

17. « *en langues* » *C L Bo Sa Arm ;* « *en langues nouvelles* » *la masse.*

---

l'on n'imagine pas que Marc le disait lui-même dans une suite de son évangile qui serait perdue pour nous (cf. la note de la page suivante), il faut admettre qu'il aura choisi de taire ce fait pour ne pas engager un récit des apparitions qu'il avait décidé de ne pas joindre à son évangile.

eux et confirmant la Parole par les miracles qui l'accompagnaient.

La finale de Marc, 9-20. *Pour l'Église catholique la finale de Marc fait partie des Écritures inspirées ; elle est tenue pour canonique. Cela ne signifie pas nécessairement qu'elle a été rédigée par Marc. Canonicité et authenticité sont choses distinctes. En fait, cette finale soulève un des principaux problèmes de critique textuelle du N. T. et son appartenance à la rédaction du second évangile est mise en question.*

Les difficultés proviennent d'abord de la tradition manuscrite, qui, loin d'être unanime, présente des données fort diverses. Plusieurs manuscrits omettent la finale actuelle : les deux onciaux grecs les plus anciens (IVe siècle) : B et S, la Syr^{sin}, le codex Bobbiensis *(k, IVe-Ve siècle) de VetLat, quelques manuscrits géorgiens, arméniens, éthiopiens. Au lieu de la finale ordinaire, k donne une finale plus courte qui continue le v. 8 : « Elles racontèrent brièvement aux compagnons de Pierre ce qui leur avait été annoncé. Ensuite Jésus lui-même fit porter par eux, de l'orient jusqu'au couchant, le message sacré et incorruptible du salut éternel. » Quatre onciaux, dont le meilleur est le* Regius *(L, VIIIe siècle), donnent à la suite les deux finales, la courte et la longue.*

Enfin le Ms W (Ve siècle), qui donne la finale longue, intercale entre le v. 14 et le v. 15 le morceau suivant :

« Et ceux-là alléguèrent pour leur défense : ' Ce siècle d'iniquité et d'incrédulité est sous la domination de Satan qui ne permet pas que ce qui est sous le joug des esprits impurs, conçoive la vérité et la puissance de Dieu ; révèle donc dès maintenant ta justice. ' C'est ce qu'ils disaient au Christ et le Christ leur répondit : ' Le terme des années du pouvoir de Satan est comble ; et cependant d'autres choses terribles sont proches. Et j'ai été livré à la mort pour ceux qui ont péché, afin qu'ils se convertissent à la vérité et qu'ils ne pèchent plus, afin qu'ils héritent de la gloire de justice spirituelle et incorruptible qui est dans le ciel...' » (trad. Lagrange).

La tradition patristique témoigne de même d'un certain flottement. Ammonius d'Alexandrie, puis Eusèbe ont émis sur Mc **16** *9-20 des doutes dont on retrouve l'écho dans saint Jérôme, Euthymius et dans des textes de Chaînes exégétiques attribués à Sévère d'Antioche, Hésychius, Victor d'Antioche.*

Ajoutons qu'entre le v. 8 et le v. 9 il y a dans le récit solution de continuité. Par ailleurs on a peine à admettre que le second évangile dans sa première rédaction s'arrêtait brusquement au v. 8. D'où la supposition que la finale primitive a disparu pour une cause à nous inconnue et que la finale actuelle a été rédigée pour combler la lacune. Elle se présente comme un résumé sommaire, surtout d'après Lc et Jn, des apparitions du Christ ressuscité, dont la rédaction est sensiblement différente de la manière habituelle de Marc, concrète et pittoresque. Un Ms arménien de l'an 986 fait précéder les vv. 9-20 de la rubrique : « du prêtre Ariston ». Quelques critiques ont voulu identifier ce personnage avec l'Aristion, disciple du Seigneur, dont Papias a fait mention. Mais outre qu'il faut corriger le nom, l'indication du Ms arménien est trop isolée et trop tardive pour emporter la conviction.

En face de ces difficultés il faut tenir compte de ce que la finale actuelle a été connue dès le IIe siècle par Tatien et saint Irénée et qu'elle a trouvé place dans l'immense majorité des Mss grecs et autres. Si l'on ne peut prouver certainement qu'elle a eu Marc pour auteur, il reste qu'elle constitue, selon le mot de l'anglican Swete, « une authentique relique de la première génération chrétienne ».

TABLE ANALYTIQUE DE L'ÉVANGILE
SELON SAINT MARC

TABLE

ACHEVÉ D'IMPRIMER SUR LES
PRESSES DE L'IMPRIMERIE
DARANTIERE A DIJON, LE
DOUZE OCTOBRE M. CM. LXI

Numéro d'édition 5.105
Dépôt légal 4e trimestre 1961